P9-BIQ-896

Аньес Мартен-Люган

*Влюбленные
в книги не спят
в одиночестве*

Agnès Martin-Lugand

La vie est facile, ne t'inquiète pas

Аньес Мартен-Люган

Влюбленные в книги не спят в одиночестве

Роман

Перевод с французского
Натальи Добробабенко

издательство **АСТ**
Москва

УДК 821.133.1-31
ББК 84(4Фра)-44
М29

Художественное оформление и макет Андрея Бондаренко

Мартен-Люган, Аньес.

М29   Влюбленные в книги не спят в одиночестве : роман /Аньес Мартен-Люган; пер. с франц. Н. Добробабенко. — Москва : Издательство АСТ : CORPUS, 2015. — 288 с.

ISBN 978-5-17-090189-0

Когда роман "Счастливые люди читают книжки и пьют кофе" появился в интернете, молодая француженка Аньес Мартен-Люган мгновенно стала знаменитой. В одной только Франции книга разошлась тиражом более 300 тысяч. Ее перевели в 18 странах, а права на экранизацию приобрел знаменитый Харви Вайнштейн, продюсер фильмов Тарантино, "Влюбленного Шекспира", "Властелина колец". И вот наконец долгожданное продолжение бестселлера. Диана, героиня обоих романов, возвращается из Ирландии, где молчаливый красавец Эдвард и его семья помогли ей справиться с горем после тяжелой утраты. В Париже она с увлечением занимается своим литературным кафе, и в ее жизни появляется человек, с которым она готова начать все заново. Однако случайная встреча на фотовыставке заставляет ее понять, что за год она так и не сумела забыть Эдварда, и Ирландия вновь обретает над ней власть. Хватит ли у Дианы смелости пойти до конца?

УДК 821.133.1-31
ББК 84(4Фра)-44

ISBN 978-5-17-090189-0

©   Éditions Michel Lafon, Paris 2015
©   Nicolas Reitzaum, cover photo, 2015
©   Н. Добробабенко, перевод на русский язык, 2015
©   А. Бондаренко, художественное оформление, макет, 2015
©   ООО "Издательство АСТ", 2015
      Издательство CORPUS ®

Моим троим мужчинам

Нормальное окончание траура — это никоим образом не забвение ушедшего, а обретенная наконец возможность поместить его на то место в завершившейся истории, которое принадлежит ему по справедливости, способность вновь в полной мере участвовать в жизни, строить планы и испытывать желания, придающие смысл существованию.

МОНИКА БИДЛОВСКИ
Ребенок, которого я вижу во сне

Don't worry. Life is easy[1].

AARON
Little love

Глава первая

Как я могла в очередной раз поддаться на Феликсовы уговоры? Ему, как всегда, каким-то чудом удалось подловить меня — вечно он находит нужный довод или стимул, и я поступаю так, как он считает нужным. Снова и снова позволяю заморочить себе голову, убеждая себя, что в его предложении, возможно, что-то есть. А ведь я знаю Феликса как облупленного, и для меня не секрет, что наши вкусы и пристрастия диаметрально противоположны. Поэтому, строя планы и принимая за меня решения, он неминуемо попадает пальцем в небо. Мы дружим столько лет, что пора бы это усвоить. В результате я провела уже шестой субботний вечер в компании законченного идиота.

На прошлой неделе на меня свалился фанат экологически чистых продуктов и здорового образа жизни.

Можно подумать, что у Феликса случился провал в памяти и он позабыл о вредных привычках своей лучшей подруги. Вот и пришлось мне весь вечер выслушивать поучения по поводу моего пагубного пристрастия к табаку, алкоголю и нездоровому питанию. Этот йог в шлепанцах абсолютно бесстрастным тоном оповестил меня о том, что мой образ жизни — сплошная катастрофа, мне грозит бесплодие и я наверняка подсознательно заигрываю со смертью. По всей видимости, Феликс не снабдил его информацией обо мне. Поэтому я одарила неудачливого претендента самой обворожительной улыбкой и сообщила, что действительно обладаю кой-какими познаниями о смерти и порывах к самоубийству, после чего покинула его.

Вчерашний придурок выступал в другой стилистике: довольно привлекательный, импозантный и совсем не любитель поучать. Его недостаток, впрочем вполне увесистый, заключался в уверенности, что ему удастся быстро затащить меня в койку с помощью рассказов о своих подвигах в компании любовницы по имени *GoPro*. "Этим летом мы с моей *GoPro* спустились по ледяной горной реке... Этой зимой мы с моей *GoPro* практиковались в могуле... Я принимал душ со своей *GoPro*... Знаешь, я тут на днях проехался в метро с моей *GoPro*..." И так далее. Это продолжалось уже больше часа, и он не мог произнести ни фразы без упоминания своей обожаемой экшн-камеры. В конце концов я задалась вопросом, не ходит ли он с ней в туалет.

— Куда я хожу со своей *GoPro*? Я, наверное, что-то не так понял, — резко прервал он рассказ.

О черт… Получается, я подумала вслух. Мне надоела роль стервы, которая не способна проявить интерес к тому, что ей рассказывают, и недоумевает, что она здесь делает, поэтому я решила содрать пластырь с раны одним решительным движением.

— Послушай, ты очень милый, но у тебя слишком серьезные отношения с твоей камерой, и я не хочу в них вторгаться. Я обойдусь без десерта, а кофе выпью у себя.

— Да в чем проблема?

Я поднялась, он тоже. Прощаясь, я только помахала рукой и направилась к кассе: я не настолько одичала, чтобы повесить на него оплату счета за провальное свидание. Я бросила на него последний взгляд и с трудом подавила безумный смех. Сейчас я бы сама не отказалась от *GoPro*, чтобы запечатлеть всю гамму чувств, отразившуюся на его лице. Бедняга…

Назавтра меня разбудил телефон. Кто позволил себе нарушить мой священный и неприкосновенный воскресный сон до полудня? Бессмысленный вопрос!

— Да, Феликс, — пробурчала я в трубку.

— Итак, победу одержал..?

— Заткнись.

Его хихиканье действовало мне на нервы.

— Жду тебя через час, сама знаешь где, — с трудом выговорил он сквозь смех и повесил трубку.

Сидя в постели, я сладко потянулась, словно разнежившаяся кошка, и взяла часы. 12:45. Могло быть и хуже. В будни я без проблем вставала рано, чтобы открыть утром "Счастливых людей", но нуждалась в долгом воскресном сне для восстановления сил и очищения мозгов от забот и тяжелых мыслей. Сон оставался моим тайным прибежищем — он растворял, смягчал и большую печаль, и мелкие проблемы. Я встала, подошла к окну и с радостью убедилась, что погода будет отличной: парижская весна явилась на свидание.

Собравшись, я хоть и с трудом, но удержалась и оставила дома ключи от "Счастливых": сегодня воскресенье, а я пообещала себе, что не буду заглядывать туда в выходные. Я не торопясь прогулялась до улицы Аршив. Я лениво брела, рассматривая витрины, затягиваясь первой за день сигаретой, махала рукой идущим навстречу постоянным клиентам "Счастливых людей". Когда я подошла к террасе нашего воскресного кафе, Феликс грубо разрушил мирное очарование:

— Где ты шлялась? Меня чуть не выгнали из-за нашего столика!

— Здравствуй, мой драгоценный Феликс. — Я запечатлела звучный поцелуй на его щеке.

Он прищурился:

— Слишком ты ласковая, наверняка что-то от меня скрываешь.

— Вовсе нет! Расскажи, что ты делал вчера вечером. Когда вернулся?

— Когда звонил тебе. Я есть хочу, давай заказывать!

Он жестом подозвал официанта и попросил принести бранч. Это его новая заморочка. Он решил, что после субботних ночных безумств полноценная утренняя еда восстанавливает лучше, чем разогретый кусок подсохшей пиццы. С тех пор он требует, чтобы я всегда присутствовала при действе и с восхищением наблюдала, как он поглощает яичницу с белым хлебом и сосиски, запивая литром апельсинового сока, который призван погасить пылающий костер похмельной жажды.

Как всегда, я удовольствовалась остатками из его тарелки — он напрочь лишал меня аппетита. Мы курили, развалившись на стульях и глядя друг на друга и на окружающий мир сквозь солнечные очки.

— Ты поедешь к ним завтра?

— Как обычно. — Я улыбнулась.

— Поцелуй их от меня.

— Договорились. Ты там больше никогда не бываешь?

— Нет, уже не испытываю потребности.

— Подумать только! Раньше я туда ни ногой!

Теперь по понедельникам это стало моим ритуалом. Я навещаю Колена и Клару. И не важно, идет ли дождь, или снег, или дует свирепый ветер, я отправляюсь на свидание с ними. Мне нравится рассказывать им, как прошла неделя, всякие мелкие истории про "Счастливых людей"... С тех пор как я стала ходить на организованные Феликсом встречи, я описывала Колену все подробности своих злополучных свиданок. Мне казалось, я слышу его смех, и я тоже смеялась вместе с ним, как если бы мы были сообщниками. Доверительно общаться с Кларой было сложнее. Моя дочь, воспоминания о ней всегда утягивали меня в бездну боли. Машинально я поднесла руку к шее: именно во время одной из таких встреч с Коленом я сняла с шейной цепочки обручальное кольцо. Сняла окончательно и бесповоротно.

Вот уже несколько месяцев у меня на шее ничего нет. В тот раз я объяснила Колену, что поразмышляла и решила не отказываться от предложенных Феликсом свиданий.

— Любимый мой… ты здесь… ты навсегда останешься здесь… но ты ушел, ты далеко и никогда не вернешься… Я смирилась… и хочу попытаться, знаешь…

Я вздохнула, постаралась проглотить слезы, покрутила пальцами обручальное кольцо.

— Оно становится слишком тяжелым…. Я знаю, ты не обидишься… Мне кажется, я готова… Я сниму его… Чувствую, что исцелилась от тебя… Всегда буду тебя любить, это никогда не изменится, но теперь все по-другому… Я научилась жить без тебя…

Я поцеловала могильный камень и расстегнула цепочку. Слезы градом покатились из глаз. Я изо всех сил сжала кольцо в кулаке. Потом встала с колен.

— До следующей недели, дорогие мои. Клара, милая... Мама... мама любит тебя.

Я ушла не обернувшись.

Феликс прервал мои воспоминания, похлопав по бедру:

— Давай погуляем, погода хорошая.

— Пошли!

Мы отправились на набережные. Как каждое воскресенье, Феликс захотел отклониться от маршрута и перейти по мосту на остров, чтобы поставить в Нотр-Дам свечку. "Я должен замаливать грехи", — оправдывался он. Но меня не проведешь: жест адресовался Кларе и Колену — так он поддерживал связь с ними. Пока Феликс совершал свое традиционное паломничество, я терпеливо дожидалась его на улице — наблюдала за туристами, которых атаковали голуби. Я успела выкурить сигаретку, после чего получила возможность насладиться ремейком сцены "Смерть мамы Амели Пулен"[1] в блистательном, достойном "Оскара" исполнении Феликса — особенно впечатлял крик! Затем великий актер подошел ко мне, обнял за плечи, приветствовал воображаемых зрителей, впавших в экстаз, и повел меня в направлении нашего любимого квартала Маре и суши-бара, который мы всегда посещали воскресным вечером.

---

[1] В знаменитом фильме "Амели" мать героини погибла оттого, что ей на голову с вершины собора Нотр-Дам свалилась туристка-самоубийца из Канады. (*Здесь и далее — прим. перев.*)

Феликс пил саке. "Клин клином вышибают", — любил он повторять. Я же довольствовалась пивом "Циндао". Между двумя роллами он перешел в атаку и потребовал отчета. Много времени мне не понадобится!

— А что тебя не устроило со вчерашним?

— Камера на лбу!

— Вау! Чертовски возбуждает.

Я с удовольствием отвесила ему подзатыльник.

— Когда ты уже усвоишь, что у нас разные сексуальные пристрастия?

— Ну и зануда ты, — простонал он.

— Пошли домой? Кино на *TF*1 ждать не будет.

Феликс проводил меня до двери дома, где на первом этаже располагались "Счастливые люди", а наверху моя студия, и, по своему обыкновению, до хруста сжал в объятиях.

— Хочу тебя кое о чем попросить, — сказала я, не отстраняясь.

— О чем?

— Пожалуйста, перестань изображать *Meetic*[1], меня уже достали эти угробленные субботние вечера. Просто руки опускаются!

Он оттолкнул меня:

— Нет, не перестану. Хочу, чтобы ты встретила хорошего человека, симпатичного, такого, с кем будешь счастлива.

---

1   Французский сайт знакомств.

— Ты мне подсовываешь каких-то клоунов, Феликс! Я сама сумею разобраться.

Он впился в меня взглядом:

— Все еще не можешь забыть своего ирландца?

— Не болтай глупости! Напоминаю, я вернулась из Ирландии год назад. Разве я с тех пор хоть раз упомянула Эдварда? Нет! Он здесь ни при чем. Это старая история, и она давно закончилась. Я не виновата, что ты меня знакомишь с шутами гороховыми.

— О'кей, о'кей! Оставлю тебя в покое на некоторое время, но постарайся сама быть поактивнее, встречайся с людьми. Ты знаешь не хуже меня: Колен хотел бы, чтобы в твоей жизни кто-нибудь появился.

— Знаю. Я так и собираюсь... Спокойной ночи, Феликс. До завтра! Завтра тот самый День!

— Йес!

Я поцеловала его так же смачно, как несколько часов назад, и вошла в дом. Вопреки настойчивым увещеваниям Феликса, я отказывалась переезжать. Мне нравилось жить над "Счастливыми людьми", в своей маленькой студии. Тут я оставалась в гуще событий, и меня это устраивало. Но главное, именно здесь я самостоятельно, без чьей бы то ни было помощи, поднялась из руин. На пятый этаж я пошла по лестнице, проигнорировав лифт. Дойдя до двери, прислонилась к ней и удовлетворенно вздохнула. Несмотря на финальный разговор, я отлично провела время с Феликсом.

Вопреки его представлениям, я никогда не смотрела фильмы на *TF*1. Я включала музыку — сегодня это был Асгейр, *King and Cross* — и приступала к тому, что окрестила своим "спа-сеансом по выходным". Недавно я решила, что пора ухаживать за собой, а что может быть лучше воскресного вечера для маски, пилинга и других штучек, уважаемых девушками?

Полтора часа спустя я вышла наконец из ванной. От меня вкусно пахло, и кожа была нежной и гладкой. Я налила себе последнюю за день чашку кофе и уютно устроилась на диване. Закурила и позволила мыслям бесцельно блуждать.

Феликс так никогда и не узнал, что заставило меня отодвинуть Эдварда в самый дальний угол памяти и больше не думать о нем.

После возвращения из Ирландии я ни с кем из них не общалась — ни с Эбби и Джеком, ни с Джудит, ни в особенности с Эдвардом. Естественно, я по нему тосковала. Воспоминания, иногда счастливые, иногда мучительные, накрывали меня волнами. Но время шло, и для меня становилось все очевиднее, что я никогда больше не поинтересуюсь, как живут мои ирландцы: все они и в частности он. Какой смысл, ведь все было так давно, больше года уже прошло… И все-таки…

Примерно полгода назад, зимним воскресеньем, когда на улице лило как из ведра, а я оставалась одна дома и занималась разборкой шкафа, я наткнулась на коробку, в которую сложила наши фотографии, сделанные на Аранских островах. Я ее открыла и поплыла, увидев его лицо впервые после такого долгого перерыва. Словно в остром приступе помешательства, я бросилась к мобильнику, нашла в контактах номер и нажала на кнопку вызова. Хотела, нет, должна была узнать, как он там. После каждого гудка я была готова сбросить вызов, разрываясь между боязнью услышать его голос и всепоглощающим желанием возобновить наши отношения. А потом включился автоответчик — только имя, произнесенное хриплым голосом, и звуковой сигнал. Я пролепетала что-то вроде "Э-э-э... Эдвард, это я... Это Диана. Я позвонила... позвонила, чтобы узнать... э-э-э... как ты поживаешь... Перезвони мне... Пожалуйста". Нажав на иконку, я подумала, что сделала ужасную глупость. Я металась по комнате и грызла ногти. Желание узнать, как его дела, помнит он обо мне или нет, терзало меня, намертво приклеив к телефону до конца дня. Настолько, что я даже повторила попытку после десяти вечера. Он не ответил. Назавтра, проснувшись, я ругала себя последними словами, поняв всю смехотворность своего поступка. Случившаяся со мной вспышка безумия помогла мне осознать, что нет и не будет больше Эдварда. Останется лишь краткий, но важный эпизод в моей жизни. Эдвард возник на моем пути, чтобы освободить меня от обязательства хранить верность Колену. И вот сегодня я освободилась и от него тоже. Отныне я готова вернуться к людям.

Глава вторая

Открыв глаза в понедельник утром, я наслаждалась значимостью наступившего дня. Сегодня вечером я лягу спать единственной владелицей кафе "Счастливые люди читают книжки и пьют кофе".

После возвращения из Ирландии я несколько недель не решалась встретиться с родителями. Не было ни малейшего желания спорить с ними и выслушивать замечания по поводу моего образа жизни. Но когда я наконец позвонила им и они пригласили меня на ужин, я ответила согласием. В родительском доме я сразу ощутила дискомфорт, как всегда, когда приходила к ним. У нас не получалось нормально общаться. Отец все время молчал, а мы с матерью произносили ничего не значащие фразы и безуспешно пытались найти хоть какую-то общую тему. За столом отец наконец-то решился заговорить со мной.

— Как идут дела? — усмехнулся он.

Его тон и то, как упорно он отводил взгляд, насторожили меня.

— Положение постепенно выправляется. Надеюсь, через два месяца мы будем в плюсе. У меня есть идеи насчет развития бизнеса.

— Не морочь голову. Что ты понимаешь в бизнесе?! После смерти Колена мы не раз напоминали тебе, что все дела вел он. В дополнение к своим адвокатским обязанностям.

— Я учусь, папа! Я хочу добиться успеха, и добьюсь его!

— Ты на это не способна, потому-то я и намерен взять все в свои руки.

— Могу я узнать, как ты планируешь это сделать?

— Поскольку я сомневаюсь, что тебе удастся найти человека, который будет решать все проблемы за тебя, я найму управляющего. Надежного, серьезного. Если хочешь продолжать изображать из себя официантку, ничего не имею против. Будет чем заняться.

— Папа, я не совсем понимаю...

— Судя по выражению твоего лица, ты все прекрасно понимаешь. С детскими играми покончено!

— Ты не имеешь права!

Я вскочила из-за стола, опрокинув стул.

— "Счастливые люди" — мои!

— Нет, "Счастливые люди" наши!

Я внутренне кипела, но, честно говоря, знала, что это правда. Именно они настоящие владельцы "Счастливых людей": когда-то они извлекли чековую книжку, чтобы подарить мне поле деятельности, и Колен их активно поддержал.

— Если тебя это развлечет, можешь устроить сцену, — продолжил он. — Даю тебе три месяца, а потом буду действовать.

Я ушла, хлопнув дверью. Именно в этот момент я поняла, что изменилась, стала более твердой и сильной. В старые времена я бы растерялась и провалилась в очередную депрессию. На этот раз я ощущала в себе решимость, и у меня имелся план. Они тогда не знали, что я уже ввязалась в бой.

Я начала с установки в кафе бесплатного вай-фая. Это привлекло студентов, и некоторые из них всю вторую половину дня занимались у меня в дальнем зале. Я снизила цены на кофе и пиво, что сделало этих ребят нашими постоянными клиентами. Большинство в результате привыкли покупать у меня книги, потому что им было известно: я расшибусь в лепешку, но раздобуду биографию, которая вытянет их реферат. Дали результат и регулярные часы работы: теперь я ежедневно открывала кафе в один и тот же час, не то что во времена, когда у штурвала стоял Феликс. Это помогло мне создать атмосферу доверия, потому что никто больше не натыкался на запертую дверь.

В течение дня имели место три легко предсказуемых пика: по утрам наплыв желающих выпить кофе перед работой, в полдень пора обеда — правда, любители литературы зачастую забывали о еде, углубившись в новый роман, — наконец, вечером, после работы, стартовал час аперитива: клиенты обычно выпивали у стойки и заодно иногда покупали книгу в мягком переплете, призванную скрасить одинокий вечер в четырех стенах. Что до тематических встреч, то я предоставила Феликсу полную свободу действий. Как организатор и ведущий он не имел себе равных. Всякий раз ему удавалось неизвестно где раскопать очередного неподражаемого докладчика — предельно эрудированного, тонкого знатока заявленной темы, заводного и так заводящего аудиторию, что алкоголь лился рекой. В результате участники расходились, унося под мышкой по нескольку книг и слегка недоумевая, о чем же была дискуссия. А чаевые Феликса сводились к обещанию знойных ночей. Я никогда не присутствовала на этих вечерах, это была Феликсова епархия, моменты, когда он мог вволю развлечься, а я закрывала глаза на его специфическую аудиторию.

В мои намерения входило превратить "Счастливых" в дружелюбный, теплый дом, открытый для всех посетителей и всех типов и жанров литературы. Я была готова давать советы читателям, чтобы они могли получить удовольствие — выбрать то, что их интересует, и при этом не испытывать чувства неловкости. И не важно, привлек ли человека роман, получивший литературную премию, или культовое бульварное чтиво, — имеет значение лишь желание прочесть, что хочется, не стыдясь своих литературных вкусов. Для меня чтение всегда было радостью, и я стремилась помочь посетителям моего кафе тоже ощутить ее. Пусть самые неподатливые откроют для себя радость чтения и насладятся им в полной мере. На моих полках сосуществовали вперемешку все стили и жанры: детектив, классика, любовный роман, поэзия, молодежная литература, мемуары, бестселлеры и более рискованные тексты. На этом развале мы все встречались — Феликс, завсегдатаи кафе и я. Я обожала охоту за сокровищами, и поиски Той Самой Книги неизменно вызывали восторг. Новых клиентов в правила игры посвящали те, кто уже к ней приобщился.

Сегодня "Счастливые люди" были залогом моего душевного равновесия. Они позволили мне вынырнуть и удерживаться на поверхности, заново организовать мою жизнь в Париже, осознать, насколько благотворно действует на меня работа, доказать самой себе, что я в состоянии что-то сделать, пусть мои родители и не хотят в это верить. Благодаря "Счастливым" я научилась жить в социуме, стала независимой женщиной, которая работает, сама себя обеспечивает и за себя отвечает. Мне надо было лишиться самого дорогого, чтобы понять, как я привязана к этому месту, к этим стенам. Вот уже

год, как я трудилась без отпуска, не могла ни на полдня покинуть "Счастливых" и была уверена, что никогда больше не позволю Феликсу в одиночку заниматься моим кафе.

Единственная неудача нашего бизнеса объяснялась
не нехваткой клиентуры, в этом провале была виновата я, и только я. Меня осенила идея проводить
по средам детские чтения. Феликс поддержал мое
начинание: он знал, что я без ума от детской литературы. Мы напечатали рекламные листовки и рас-
пространили их в окрестных школах, домах детского
творчества и т.п. Я пополнила запасы напитков
и сладостей и в особенности детских книг. И вот
назначенный день настал. Когда звякнул колокольчик в дверях и в кафе, робея, стали заходить мамы
со своим потомством, я сбежала, скрылась за барной
стойкой. Стоя за ней, я направила гостей в маленький зал в глубине кафе. Попросила Феликса про-
следить, чтобы все расселись, пока я курю на улице.
Поскольку я не торопилась возвращаться, он вышел
за мной и сказал, что ждут только меня — это ме-
роприятие должна была вести я. Я появилась перед
своими гостями на подгибающихся ногах, а когда
приступила к чтению "Дня синей собаки", не узнала
собственный голос.

Я поняла, что допустила серьезную ошибку, когда ко мне приблизился трехлетний мальчик. Я остановила на нем взгляд, отпрянула и задрожала. Мне

безумно захотелось, чтобы это была Клара, чтобы она подошла ко мне и вскарабкалась на колени. Она бы рассматривала картинки, а я бы зарылась носом в ее волосы. Книга выпала у меня из рук, и я позвала на помощь Феликса. Он сразу сориентировался и бросился меня спасать: подхватил эстафету, начал всех смешить, а я помчалась наверх и заперлась в своей квартире. Остаток дня и всю ночь я провела, завернувшись в одеяло, рыдала и вопила в подушку, звала Клару.

Назавтра книги были отосланы издателям. Этот кризис дал мне понять, что я никогда не оправлюсь от потери дочки. Я могу излечиться от Колена, от нее — нет. Никогда никакой ребенок больше не войдет ни в мою жизнь, ни в "Счастливых" — в тот день это стало для меня очевидным.

Несмотря на эту неприятную историю, я приняла окончательное решение. Договорилась о встрече в банке, чтобы разобраться со страховкой Колена. Он все предусмотрел, чтобы я ни в чем не нуждалась. Я не собиралась и дальше транжирить эти деньги, их нужно использовать на что-то важное, что-то такое, что порадовало бы его. Я обязана осуществить проект, достойный моего мужа, и вот такой проект нашелся: я выкуплю "Счастливых" у родителей.

Великий день наступил: битва с родителями, которая в последние месяцы не прекращалась, вплотную приблизилась к финалу. Главное событие понедельника не заставило меня отменить посещение Колена и Клары. Улыбаясь и высоко подняв голову, я шагала по дорожкам кладбища. Положив на могилу охапку белых роз, я встала на колени, извиваясь и стараясь не выглядеть смешной, — дело в том, что по случаю подписания документов я надела узковатое черное платье и высокие каблуки, чего не делала целую вечность. Родители наверняка охарактеризовали меня нотариусу как безответственную и депрессивную особу, и мне было важно доказать, что это не так.

— Любимый мой, сегодня особый день! Этим вечером мы окажемся в собственном доме. Надеюсь, ты гордишься мной и знаешь, что я сделала это ради вас двоих. А поскольку я все делаю с размахом, после подписания мы как следует отпразднуем это с Феликсом! Когда я ему сообщила о своем плане, мне показалось, что он расплачется от радости. Жизнь берет свое... это так странно... Все, мне пора, меня ждут на раздаче автографов! Я люблю вас, мои родные! Клара... мама... с тобой.

Я прикоснулась губами к могильному камню и покинула кладбище.

Чтение документов у нотариуса прошло в атмосфере спокойствия и тишины. И вот настал великий момент. Я так дрожала, что сумела поставить подпись только со второй попытки. Эмоции захлестывали: мне все удалось, и я думала только о Колене и о том, кем стала. Когда я садилась на место, мои глаза наполнились слезами. Я натолкнулась на ничего не выражающий взгляд матери. Потом нотариус протянул мне листок бумаги, удостоверяющий мое право собственности. Акт, в котором черным по белому было написано, что я бездетная вдова. Он вежливо попрощался с нами. Оказавшись на улице, я обернулась к родителям в ожидании какой-то реакции, сама не знаю какой.

— Мы не верили, что ты пойдешь до конца, — сказал отец. — Хотя бы раз в жизни постарайся все не испортить.

— Это не входит в мои намерения.

Я обернулась к матери. Она подошла, поцеловала меня, и в поцелуе было больше тепла, чем обычно.

— Я не сумела быть такой матерью, какая тебе нужна, — шепнула она мне на ухо.

— Меня это огорчает.

— А меня приводит в отчаяние.

Мы посмотрели друг другу в глаза. Меня потянуло спросить "почему?". Но по выражению ее лица я поняла, что ей не выдержать мои вопросы и упреки. Я будто видела, как панцирь матери покрывается трещинами, словно она вдруг научилась испытывать угрызения совести. Не слишком ли поздно? Отец взял ее за руку и сказал, что пора. В качестве моральной поддержки прозвучало скупое "до скорого". Они ушли в одну сторону, я — в другую. Я надела солнечные очки и направилась к *своим* "Счастливым людям", которые читают книжки и пьют кофе. По бульвару Себастополь я добралась до улицы Риволи, не срезая дорогу переулками, потому что меня сейчас тянуло на проспекты и бульвары, я хотела пройти мимо мэрии, потолкаться на тротуаре возле *BHV*[1]. Когда я наконец свернула налево на улицу Вьей-дю-Тампль, до дома оставалось не больше сотни метров. Зазвенел колокольчик над дверью, и я подумала, что Феликс расставил тайных агентов вдоль всего моего маршрута — пробка шампанского хлопнула, как только я переступила порог. Шампанское выплеснулось на стойку. Он пренебрег бокалами и протянул мне бутылку:

— Ты сделала это!

Я выпила из горлышка. Пузырьки защекотали нёбо.

— Блин! Как подумаю, что ты теперь моя хозяйка!

— Супер!

— Ты в этой роли больше меня устраиваешь, чем твой отец, — заявил он, отнимая у меня бутылку.

— Феликс, ты всегда будешь моим любимым компаньоном.

Он прижал меня к груди и сделал солидный глоток шампанского.

— Черт, щиплет! — воскликнул он, выпуская меня из объятий; его глаза заблестели.

— Давай быстренько продолжим праздник!

Я не стала тратить время, чтобы подняться в квартиру и переодеться. Просто стерла лужицу шампанского со стойки и закрыла кафе. Феликс увлек меня

---

1   Большой парижский универмаг.

в путешествие по окрестным барам. Его здесь все знали, он появлялся в каждом заведении этаким эксклюзивным гостем, чьи вкусы известны; к тому же правильные коктейли были заказаны заранее. Потому что мой лучший друг все предусмотрел и тщательно подготовился к этому вечеру. Все его любовники и воздыхатели охотно уступали мне место: раз Феликс любит меня, значит, обо мне нужно заботиться. Наш путь был отмечен встречами с разными чудаками, красными ковровыми дорожками, россыпью блесток и цветами в моих волосах. Все было сделано для того, чтобы я на один вечер почувствовала себя принцессой. Безумная атмосфера, созданная Феликсом, пьянила меня едва ли не больше, чем весь поглощаемый алкоголь.

Подошло время ужина. Мы отправились в тапас-бар, хотя тамошние закуски уж точно не могли нейтрализовать выпитое нами. Места у стойки были зарезервированы. Феликсу хорошо известно, что я предпочитаю высокие стулья, с которых удобно незаметно наблюдать за происходящим вокруг. Нас дожидалась открытая бутылка красного вина. Феликс поднял бокал:

— За твоих родителей, которые перестанут тебя доставать!

Я не ответила и сделала первый глоток — вино оказалось крепким, мощным, точно соответствующим моменту, который я переживала.

— У меня больше нет семьи, Феликс...

Он не нашел что ответить.

— Ты понимаешь? Больше ничего не связывает меня с родителями, и у меня нет ни братьев, ни сестер. Колен и Клара ушли. Ты — все, что у меня осталось. Моя семья — это ты.

— С момента нашей встречи в универе мы всегда были парой, ничто и никогда это не изменит.

— Мы всё делали вместе!

— Почти всё. Мы не спали вместе!

Жуткое видение для нас обоих! Он сунул два пальца в рот, изображая рвотный рефлекс, я повторила его жест. Детский сад!

— С другой стороны, если ты изменишь мнение насчет детей, но не найдешь подходящего парня, я могу сыграть роль банка спермы. Я этого детеныша научу, как правильно жить.

Я едва не подавилась вином, а он расхохотался.

— Как тебе только могла прийти в голову подобная околесица?

— Мы стали сентиментальными, а это действует мне на нервы.

— Ты прав! Я хочу танцевать, Феликс.

— Твои желания — закон.

Мы проскочили огромную очередь и без задержки попали в клуб — у Феликса имелись свои ходы. Не обращая внимания на шокированное выражение моего лица, он смачно поцеловал в губы вышибалу. Последний раз я видела его в таком состоянии на своем девичнике накануне свадьбы! В VIP-зоне нас ожидала полуторалитровая бутылка шампанского. Выпив единым духом два бокала, я выскочила на танцпол. Выплясывала с закрытыми глазами, чувствовала себя живой, помолодевшей на десять лет; с меня как будто смыли все горести и разрешили радоваться жизни.

— Я с ними договорился, — шепнул мне Феликс. — Пользуйся, пока звучит: вечно они повторять ее не будут.

Поднятая двумя парами рук, я взлетела на сцену. Басовая партия и ударные ввели меня в транс. На несколько минут я стала королевой вечера под *Panic Station* группы *Muse*. Уже несколько недель я непрерывно слушала эту композицию, окончательно задолбав Феликса. Он даже как-то поймал меня на том, что я в наушниках убираюсь в "Счастливых людях" под эту музыку. А сейчас я заполучила благодарных зрителей и заставила их подхватывать вместе со мной припев:

Ooo, one, two, three, four fire's in your eyes.
And this chaos, it defies imagination.
Ooo five, six, seven minus nine lives.
You've arrived at panic station.

К четырем утра мы по обоюдному согласию решили вернуться в родные пенаты. Возвращение было непростым и малоприятным для всех, кто к этому моменту уже спал. Я никак не могла слезть со своей песни и вопила ее во все горло, а Феликс изображал хор на подпевках. Из-под куртки у него торчала бутылка шампанского, к которой мы по очереди прикладывались, пока он меня провожал до подъезда дома "Счастливых". Он взглянул на витрину:

— Счастливые люди берут жизнь в свои руки! Ты пришла!

— Обалдеть!

— Сумеешь сама подняться?

— Йес!

Мы расцеловались.

— Спокойной ночи, моя семья, — сказала я.

— Ну что, как-нибудь повторим?

— И не думай!

Я отпустила его и стала отпирать дверь.

— Вообще-то мы завтра закрыты до полудня, так что отсыпайся.

— Спасибо, хозяйка!

Феликс ушел веселым, перспектива долгого сна взбодрила его. Он не знал, что я намерена открыть кафе вовремя.

Пробуждение было ужасным. Приоткрыв один глаз, я нашарила в аптечке большую таблетку парацетамола и тут же проглотила ее. Только после этого я с трудом осилила первую за день чашку кофе, хотя в обычном состоянии, едва открыв глаза, заглатываю ее залпом. Потом я приняла холодный душ, надеясь прояснить разум. Когда я пыталась натянуть обувь, мне пришло в голову, что самая большая моя ошибка не в том, что я предалась безумствам с Феликсом, а в том, что весь вечер провела на высоченных каблуках. Теперь придется отправиться на работу во вьетнамках. В апреле!

Как каждое утро, я сначала забежала в булочную за непременным круассаном и булочкой с шоколадом. Затем открыла "Счастливых" и оставила дверь нараспашку. Легкий утренний сквознячок позволял мне кое-как держаться и не засыпать на ходу, так что придется моим окоченевшим ногам потерпеть. Я включила кофемашину и приготовила себе тройную порцию. Мои обычные утренние клиенты спокойно объявились в кафе и стали медленно просыпаться вместе со мной, перелистывая свежий номер "Паризьен". Когда первая волна посетителей схлынула, я привела "Счастливых" в порядок, проконтролировала запасы, проверила счета, как делала это уже почти год, и быстренько проглядела последние литературные новости. Я знала, что какое-то время буду спокойна, поскольку до двенадцати Феликс точно не проснется. Пусть насладится свободным утром по полной! Ничего не изменилось, и в то же время все стало другим. Из битвы с родителями я вышла более взрослой и уравновешенной. Я им больше ничего не должна. И жизнь, моя жизнь, на них не остановится, хотя в душе и сохранилась некоторая горечь.

Глава третья

На закате солнечного дня я стояла, прислонившись к витрине, и курила, и тут объявился клиент. Я глянула на него и подумала, что он у нас раньше не бывал и что Феликс вполне может его обслужить. Когда я вернулась на свой пост, мой компаньон бил баклуши за стойкой, а клиент растерянно изучал книги, дивясь их странному подбору. Я подошла к нему:

— Здравствуйте, могу я вам помочь?

Он обернулся ко мне и помолчал. Я чуть улыбнулась.

— М-м-м... здравствуйте... да я вроде нашел, что искал, — ответил он, беря наугад какую-то книжку. — Но...

— Да?

— Кафе еще открыто?

— Конечно!

— Я бы выпил пива.

Он сел за стойку и наблюдал за тем, как я наливаю кружку, а потом поблагодарил улыбкой и стал что-то набирать на телефоне. Я незаметно наблюдала за ним. Этот мужчина внушал доверие. Он был не лишен обаяния, но я не знала, обернулась бы я вслед или нет, встреть я его на улице. Феликс откашлялся, вернув меня к реальности. Его кривая улыбка действовала мне на нервы.

— В чем дело?

— Могу я уйти до закрытия? Меня ждут...

— Нет проблем, но не забывай, что завтра день поставок, и я не намерена в очередной раз гробить спину.

— А когда?

— В девять утра.

— Можешь на меня рассчитывать.

Он схватил куртку, чмокнул меня в щеку и убежал. Спустя несколько минут моему клиенту позвонили, и, судя по всему, услышанное ему не понравилось. Продолжая говорить по телефону, он допил пиво, встал, взглядом спросил меня, сколько должен. Расплатился и попросил собеседника подождать. Прикрыл рукой микрофон и обратился ко мне:

— Хорошего вам вечера... У вас тут приятное место.

— Спасибо.

Он направился к двери, звякнул колокольчик, он вышел, а я улыбнулась, тряхнула головой и решила закрыть кафе чуть раньше времени.

Назавтра я, естественно, встречала доставку в одиночестве. Чтобы сбросить пар, я позвонила Феликсу. Сработал автоответчик, и я сказала: "Ну и гад ты, Феликс! Опять мне придется горбатиться одной!"

Я тщетно умоляла курьера помочь мне занести коробки в кафе. Ссутулившись, я следила глазами за удаляющимся грузовичком. Потом закатала рукава, подхватила первую — самую маленькую — упаковку и тут услышала:

— Погодите! Я помогу!

Я даже не успела среагировать, а вчерашний клиент уже выхватил у меня из рук коробку.

— Что вы здесь делаете? — спросила я.

— Я живу по соседству. Куда это отнести?

Я проводила его в закуток, где у нас был склад, и продолжила допрос:

— Я раньше никогда вас здесь не видела.

— Ничего удивительного, я переехал три недели назад. Я вас заметил… с самого первого дня… ну, в общем, ваше кафе… Только до вчерашнего вечера мне все не хватало времени, чтобы заглянуть к вам. Ну вот… Остальные тоже сюда нести?

— Нет, оставьте, я сама справлюсь. Вы можете опоздать.

— Да ладно вам, — широко улыбнулся он, снимая куртку и подхватывая следующую коробку.

Он проделал всю работу с головокружительной скоростью: через десять минут припасы были на месте.

— Готово! Как видите, это не заняло много времени.

— Спасибо… У вас найдется еще минутка?

— Да. — Он даже не взглянул на часы.

— Я на пару минут оставлю кафе на вас.

Я помчалась в булочную и купила больше выпечки, чем обычно. Когда я вернулась в "Счастливых людей", мой потрясающий клиент сидел там, где я его оставила.

— Вас устроит завтрак в качестве компенсации за перенесенные неудобства?

— Если вы будете называть меня по имени и мы перейдем на "ты"!

Я рассмеялась и протянула ему руку:

— Диана.

— Оливье, очень приятно…

— Я тебе по гроб жизни обязана. Давай к столу!

Я зашла за стойку и только тут обратила внимание, что слишком уж широко улыбаюсь. Оливье уселся на барный стул.

— Кофе?

— Он вроде как делает счастливым…

— Чай для этого тоже годится, имей в виду.

— Нет, кофе будет в самый раз.

Завтрак затянулся, мы говорили о нашем квартале и о том о сем… Нам было хорошо. Оливье оказался очень милым и внешне симпатичным — на его смеющиеся карие глаза и ямочки на щеках смотреть было чистое удовольствие. Он сообщил мне, что работает кинезитерапевтом, и тут взглянул на часы.

— Черт! Мой первый пациент.

— О-о-о… мне очень жаль, это я виновата.

— Нет, я. Мне тут нравится. Думаю, я буду часто приходить.

— Для тебя дверь всегда открыта... А теперь беги!

И он убежал.

Меньше чем через пять минут на пороге возник Феликс с дебильной улыбкой на лице.

— Ну ты и лентяй! Явился — не запылился! А другие, между прочим, вкалывали...

— Однако титанические усилия пошли тебе на пользу: ты, как я погляжу, посвежела! Но, насколько мне известно, попотеть пришлось не тебе.

Я изумленно уставилась на него, рот широко открылся.

— Как... откуда... откуда ты...

— В кафе напротив не кофе, а ослиная моча, зато оттуда роскошный вид на любовное токование!

— Ты все заранее спланировал.

— То, как он вчера себя вел, ни с чем не спутаешь. Этот кекс втюрился в тебя. Он уже несколько дней нарезает круги вокруг "Счастливых". Поэтому утром я его протестировал. Проверку он прошел, и я понимаю, почему он тебе понравился.

— С какой стати... Вовсе нет...

— Ты влюбилась и поглупела. И это очень, очень мило.

Первый подзатыльник за день.

— Он славный, но не более. Так что отцепись. Да и вообще... Может, он никогда больше не сунет сюда нос.

— Это ты кому другому рассказывай!

Вечером я поймала себя на том, что всматриваюсь в прохожих за стеклом витрины. И вот кафе закрылось, а Оливье так и не объявился. Я отказывалась признаться себе, что огорчена. Однако я сумела извлечь бонусы из своего взвинченного состояния: мне казалось, будто я парю над землей, я ощущала себя легкой, повседневная рутина меня не затрагивала. После Колена такое случилось со мной впервые. То есть впервые я испытывала какие-то чувства. Само присутствие мужчины пробуждало их и вызывало интерес.

Прошло два дня, а Оливье не выходил у меня из головы. Я уже переворачивала доску у входа, закрывая кафе, когда он подбежал к витрине. Наклонился и оперся ладонями о колени, чтобы восстановить дыхание. Я открыла дверь.

— Йес! — воскликнул он.

— Мы закрыты!

— Знаю, но ты же на месте. Я тебя уже упускал два вечера подряд, так что сегодня мне нужно было успеть кровь из носу.

— Чего ты хочешь?

— Пойти с тобой где-нибудь выпить. Все вечера подряд ты наблюдаешь, как другие расслабляются после рабочего дня. Ты тоже имеешь на это право...

И тут он заметил, что я остолбенела.

— Наверное, тебя кто-то ждет... извини, я как-то не подумал... Ладно... ну... я пошел...

Он развернулся и зашагал по улице. Я догнала его. Я не хотела, чтобы он уходил. Когда он появлялся, я чувствовала себя счастливой, никаких сомнений.

— Никто меня не ждет.

— Правда?

— Ну да!

По моей Вьей-дю-Тампль мы дошли до улицы Бретань и быстро отыскали место на террасе. Оливье расспрашивал меня о "Счастливых", но когда речь зашла о том, как возникло это кафе, я стала отвечать уклончиво. Его также интересовало, кто такой Феликс и что он для меня значит. Судя по выражению лица, гомосексуальная ориентация моего друга явно успокоила Оливье. Я узнала, что ему тридцать семь лет, он долго практиковал в Бельгии, где до этого учился, а в Париж вернулся лет пять с небольшим назад. "Зов предков", — объяснил он. Я чувствовала, что приближается момент, когда нужно будет больше рассказать о себе. Поэтому я решила, что пора возвращаться — не была уверена, что он готов узнать, кто я такая на самом деле и что мне пришлось пережить. Мне было хорошо с ним, и я боялась, как бы он не сбежал, если я вывалю на него свои проблемы. С другой стороны, если у нас должны завязаться отношения, невозможно до бесконечности скрывать от него свое прошлое. В общем, настоящая китайская головоломка.

— Оливье, спасибо, но теперь мне пора. Было очень хорошо.

— И мне. Где ты живешь? Можно тебя проводить?

— Я живу над "Счастливыми людьми". Это очень мило с твоей стороны, но ты не обязан доставлять меня по назначению, я и сама справлюсь.

— Может, позволишь немножко пройтись с тобой?

— Если тебе хочется...

Мы повернули к дому. Я чувствовала себя стесненно, не знала, что ему сказать, избегала его взгляда. Между нами возникла какая-то неловкость. Наша прогулка продолжалась минут пять, после чего Оливье остановился:

— Здесь я тебя отпускаю...

Я посмотрела на него. Он нашел в себе силы улыбнуться, несмотря на то, что последнюю часть пути я упорно молчала.

— Можно я приду к тебе в "Счастливых"? — спросил он.

— В любое время... До скорого.

Я сделала два шага назад, не отводя от него глаз, потом повернулась и направилась к своей студии. На пешеходном переходе между улицами Вьей-дю-Тампль и Катр-Фис я осторожно оглянулась: Оливье стоял там, где я его оставила. Он помахал мне. Я вздохнула, улыбнулась и пошла дальше. Я не понимала, что мне делать... Дома я сразу легла, но сон долго не шел.

Если в последующие дни Феликс и заметил мою нервозность, он ничего не сказал. Я, как обычно, зани-

малась своим делом, но при этом у меня в голове беспрерывно крутились мысли об Оливье и возможном
будущем романе. Как посвятить его в мою ситуацию,
и чтобы он при этом не сбежал? Одно дело желание завязать отношения или даже готовность к ним,
и совсем другое — боязнь напугать своим прошлым,
своей эмоциональной уязвимостью, последствиями
пережитого.

Субботний вечер, у нас затишье. Весь день отличная
погода, и клиенты покинули мое кафе, предпочтя от-
крытые террасы. Я их понимала: на их месте я посту-
пила бы так же. Сегодня мы рано закроемся. Я стояла
за стойкой, а Феликс считал ворон, сидя на табурете.

— Что ты собираешься делать сегодня вечером? —
спросила я, наливая нам по бокалу красного вина.

— Никак не решу: меня ждут всюду, но я еще не выбрал, кого осчастливить.

Как хорошо, что он со мной, ему всегда удается
развеселить меня.

— А ты? — спросил он, чокнувшись и отпивая глоток.

— О, у меня свидание с "Самым большим кабаре"[1].

— Твой воздыхатель не объявлялся?

— Нет, чего и следовало ожидать. В любом случае
он сбежал бы, узнав о Колене и Кларе... ну и обо
всем остальном...

[1] *"Самое большое кабаре"* (*Le Plus Grand Cabaret du monde*) — регу-
лярная развлекательная программа французского телевидения.

— Об остальном? Ты имеешь в виду историю с малышом? Это смешно. Так или иначе однажды тебе снова захочется ребенка.

От одной мысли об этом я задрожала.

— Нет, не думаю.

— Диана, ты бежишь впереди паровоза. Никто не предлагает тебе выходить замуж или заводить семью прямо сейчас. Встретишь кого-нибудь, тебе будет хорошо с ним, а там уж как сложится.

— Что об этом говорить, затея накрылась.

— Я в этом не уверен. Гляди-ка, кто пришел...

Тут я увидела Оливье, взявшегося за ручку двери. Сердце бешено заколотилось.

— Привет, — спокойно сказал он, входя в зал.

— Привет, Оливье, — весело откликнулся Феликс. — Присоединяйся!

Феликс похлопал по соседнему барному табурету, предлагая Феликсу сесть. Тот осторожно приблизился, взглядом прося у меня разрешения.

— Выпьешь то же, что и мы? — предложила я.

— С удовольствием!

Феликс взял на себя труд поддерживать беседу и засыпал Оливье вопросами о его жизни и работе. Оливье нисколько не смутил этот допрос с пристрастием. Прячась за своей ироничной манерой, мой лучший друг проверял надежность нашего гостя. Я его достаточно хорошо знала и потому догадывалась: он, конечно, готов на все, лишь бы я нашла себе кого-нибудь, но сама мысль об этом приводит его в ужас. Я предпочла не вмешиваться. Впрочем, мне бы это все равно не удалось. Поэтому я перемыла всю посуду, по нескольку раз споласкивая и вытирая каждую чашку, каждый стакан. Я избегала смотреть на Оливье и отводила глаза, когда он пытался поймать мой взгляд. Когда я убедилась, что мыть, вытирать, протирать больше нечего, я вытащила из-под стойки пачку сигарет и вышла на улицу.

Я прикуривала вторую сигарету от первой, когда звякнул колокольчик: ко мне присоединился Феликс.

— Все в порядке, Феликс Несравненный сделал свой выбор — я знаю, где буду сегодня безумствовать.

— Нет… ну, пожалуйста,… не оставляй меня наедине с ним.

— Его единственный недостаток — он не курит. А в остальном он отличный парень, к гадалке не ходи. Так что поговори с ним. Давай, давай, соберись! Порадуйся немного жизни!

Феликс чмокнул меня:

— Он тебя ждет.

Феликс ушел, веселый и беззаботный, как щегол. Я глубоко вздохнула и вошла в "Счастливых".

— Э-э-э… — приветствовал меня Оливье.

— Э-э-э…

— Как ты насчет ужина вдвоем?

Я вернулась за стойку и глотнула вина. Оливье не отводил от меня глаз.

— Можем остаться здесь, — предложила я. — Я закрою, и кафе наше на весь вечер.

— А ты позволишь мне заняться ужином?

— Давай!

Он спрыгнул со стула и направился к выходу, но на полпути остановился и обернулся ко мне:

— Ты будешь здесь, когда я вернусь? Не сбежишь?

— Можешь мне поверить.

Он широко улыбнулся и вышел.

Чтобы убить время до его возвращения, я погасила свет в витрине и перевернула доску у входа — теперь кафе закрыто. Потом сменила музыку, поставила последний альбом *Angus & Julia Stone* и заперлась в туалете. Выглядела я ужасно: с утра был аврал, и я не успела накраситься, да и мои духи, пожалуй что, давно испарились. Однако проблема в том, что я не могла подняться в студию, чтобы привести себя в порядок: вдруг Оливье вернется, пока я наверху, и окажется перед закрытой дверью. В кармане завибрировал телефон. Эсэмэска от Феликса:

Если нужно подновить фасад, загляни за рамку с фото возле кассы.

Можно было подумать, что он установил в туалете видеокамеру. Впрочем, с него станется! Оказалось, что Феликс втайне от меня припас набор косметики, включающий, в частности, щетку для волос и пробник моих духов.

Только я успела расставить приборы на стойке, как в кафе вошел Оливье с полными руками.

— Ты пригласил приятелей?

— Не знал, что выбрать, — ответил он, выкладывая на стойку пакеты. — Поэтому взял всего понемногу. Зашел в греческую кулинарию, потом в итальянскую колбасную лавку, еще за сыром... потом за десертами — сначала купил шоколадные пирожные, а потом подумал, вдруг ты предпочитаешь фрукты, поэтому прихватил фруктовые корзиночки...

— Зачем столько всего?!

— Мне приятно заботиться о тебе.

— Думаешь, я нуждаюсь в том, чтобы обо мне заботились?

Он нахмурился:

— Нет... но ты мне нравишься, и это доставляет мне удовольствие...

Я уставилась в пол, ноги подгибались.

— Я в гостях, но все же рискну пригласить нас к столу.

У него явный талант: он вернул мне непринужденность, погасил напряжение, сопровождавшее наш импровизированный ужин вдвоем.

Я потеряла представление о времени. Не припомню за последние годы ни одного такого милого вечера. Оливье смешил меня, рассказывая истории своих больных с воображаемыми радикулитами. Я открывала для себя мужчину, не терзающего себя и других философскими проблемами, непосредственного, ждущего от жизни только простых вещей, способных подарить радость. Он дал мне понять, что хотел бы больше узнать обо мне.

— Ты все время как будто немного замкнута... Не могу понять, с чем это связано... Но я хотя бы не внушаю тебе страха?

— Нет, — улыбнулась я в ответ. — Просто я уже давно не оказывалась в такой ситуации...

— Ты пережила тяжелый разрыв? Извини, если я слишком тороплюсь...

— Нет... Все несколько сложнее... и не так-то легко объяснить...

— Я тебя не заставляю...

— Я сама хочу рассказать, это важно... Возможно, ты перестанешь приходить, когда все узнаешь...

— Ну разве что ты кого-то убила...

— Никого я не убивала, клянусь! — Я рассмеялась.

Стараясь не смотреть на него, я набрала побольше воздуха в легкие и решилась:

— На самом деле, Оливье... я потеряла мужа и дочь в автомобильной катастрофе, три года назад...

— Диана... я...

— Не надо, молчи, сегодня уже все в порядке. Но с тех пор в моей жизни никого не было... и я должна сказать, что... мне впервые легко и хорошо с мужчиной. Понимаю, это может напугать тебя...

Я упорно разглядывала стол. Краем глаза заметила, что Оливье нагнулся и пытается снизу поймать мой взгляд. Я хихикнула. Он не отстранился, не замкнулся — остался таким, каким был до моего признания.

— Как насчет того, чтобы немного взбодриться?

— Ага.

— Могу я зайти за стойку и открыть новую бутылку?

Я кивнула, и он отправился за вином.

— Понимаешь, это такая подростковая мечта, — добавил он со смехом.

— Да пожалуйста, ни в чем себе не отказывай!

Он нашел бутылку и штопор, наполнил наши бокалы. То старание, с которым он все проделал, тронуло меня и разрядило напряжение.

— У тебя отлично получается. Могу взять на работу.

— Только по совместительству, — подмигнул он.

Он уже собирался вернуться ко мне, когда заметил рамку с семейными фотографиями.

— Можно?

— Можно.

Он взял рамку и стал внимательно рассматривать снимки.

— Похоже, Феликс дружил с твоей дочкой.

— Он был ее крестным... Тебе не помешает, если я закурю?

— Ты у себя. Может, не хочешь об этом говорить?

— Если у тебя есть вопросы... — предложила я, затянувшись.

Он поставил на место фото и вернулся ко мне.

— Что ты делала три года? Я имею в виду... чтобы со всем этим справиться... Невозможно представить себе, что тебе пришлось пережить.

Я глубоко вздохнула, молча докурила, раздавила сигарету в пепельнице и только потом ответила:

— Год я просидела взаперти в нашей квартире... Если я еще жива, то это заслуга Феликса. Он так старался встряхнуть меня, что я решила уехать... Прожила еще год в Ирландии, в какой-то богом забытой деревне с морем в нескольких метрах от моего дома...

— И как там было?

— Сыро. Но тамошняя атмосфера как будто возродила меня. Там красиво, очень, очень красиво, ты даже не можешь вообразить... Грандиозные пейзажи, страна, в которую стоит заглянуть...

Я боролась с воспоминаниями, стремилась защитить свою жизнь от вторжения ирландских призраков.

— В конце концов я вернулась домой и с тех пор держусь. Мне больше не хочется умереть... Я хочу жить, но мне нужна спокойная жизнь. В Париже, в "Счастливых"... Ну вот...

Я слабо улыбнулась.

— Спасибо, что поделилась со мной. Больше не буду приставать к тебе с расспросами.

Он осторожно убрал прядку волос с моего лба и улыбнулся. Я вздрогнула.

— Помогу тебе навести порядок перед сном.

Он встал, снова зашел за стойку и стал мыть посуду. Я присоединилась к нему — вытирала тарелки, которые он мне подавал. Мы слушали песню *No surprises*, повторяя и повторяя ее, и больше не разговаривали. В маленьком закутке, где мы находились, нельзя было не касаться друг друга, не задевать плечами, и мне это нравилось. Когда мы все вымыли и расставили, Оливье надел куртку.

— Ты поднимаешься к себе, не выходя на улицу? — спросил он.

— Да.

— Запри как следует дверь.

Я проводила его к выходу, и мы оказались лицом к лицу.

— Диана, я не стану торопить тебя, пусть пройдет время, и ты придешь ко мне, если захочешь... Я буду ждать столько, сколько понадобится...

Он подошел ко мне и шепнул: "Я не боюсь".

Потом поцеловал меня в обе щеки. Это не были дружеские поцелуи, не имеющие никакого значения. Впрочем, мы такими никогда не обменивались. Нет, прикосновение его губ к моим щекам было словно обещание нежности и терпения.

— Спокойной ночи.

— Спасибо, — вот и все, что я сумела выдавить едва слышным голосом.

Он вышел на улицу, дождался, пока я запру двери на ключ, и только потом ушел. Будто оглушенная, еле переставляя ватные ноги, я поднялась к себе и легла. Может быть, я встретила мужчину, который вернет радость в мою жизнь? Сумею ли я дать себе волю?

Глава четвертая

Обе следующие недели Оливье приходил ко мне практически ежедневно. Иногда просто заглядывал поздороваться, иногда пил кофе или, если приходил вечером после приема, заказывал бокал вина. Ни разу никуда меня не пригласил и никогда не приближался ко мне. Позволял мне привыкнуть к своему присутствию, приручал меня. И это работало: я все нетерпеливее выглядывала на улицу, дожидаясь его появления, чувствовала себя разочарованной, когда он уходил, и вечером, ложась спать, все еще думала о нем. И тем не менее мне не удавалось сделать решающий шаг. Мысли о будущем приводили меня в ужас.

Он пообедал в "Счастливых людях" и только ушел, и тут Феликс предпринял совершенно неожиданную атаку:

— Ты во что играешь?

— А?

— Я начинаю жалеть бедного парня. Ты его мурыжишь и мурыжишь, а он глядит на тебя глазами
дохлого судака. Я все вижу: ты целый день то-
мишься по нему и начинаешь заикаться, когда он
приходит... Пора прыгнуть ему в объятия, чего ты
ждешь?

— Сама не знаю...

— Из-за Колена? Мне казалось, ты уже преодолела
этот этап.

— Нет, не из-за Колена. Честно говоря, я больше
думаю об Оливье, чем о нем.

— Хороший знак.

— Да... но...

— У доброты и терпения тоже есть свои пределы.
Дай ему немного надежды, иначе...

— Оставь меня в покое, — завопила я, в отчаянии
от того, что он прав.

Тем же вечером Феликс выразительно посмотрел на
меня, когда появился Оливье. Он приблизился ко мне
с робкой улыбкой:

— Ты свободна завтра вечером?

— Ну-у-у... да...

— Вообще-то я пригласил нескольких друзей, которые требовали отпраздновать новоселье. И был бы
очень рад, если бы ты пришла. Да, Феликс, если хочешь, присоединяйся.

— Мы придем, — поспешила ответить я, не дав Феликсу вставить слово.

— Отпускаю тебя к твоей работе. И до завтра, да!

Он помахал Феликсу. Закрыл дверь, заглянул в кафе через стекло, я ему улыбнулась.

— Вот видишь, ничего сложного!

— Не опозорь меня завтра, — предупредила я Феликса.

Он прыснул.

На следующий день, звоня в дверь, я была счастлива. И никакого стресса. Только радостное ожидание встречи. Я решила задвинуть подальше все свои сомнения и страхи. Когда Оливье появился на пороге, Феликс, такой же деликатный, как слон в посудной лавке, сразу прошел в квартиру, хихикая, словно девочка-подросток, и оставляя нас наедине.

— Навыступается он на твоей вечеринке, вот увидишь! — предупредила я Оливье.

— Пусть повеселится, мне не жалко!

Мы посмотрели друг другу в глаза.

— Спасибо, что пригласил, я очень рада, что пришла к тебе.

Ни секунды не раздумывая, я поцеловала его в щеку.

— Познакомишь с друзьями?

Представления не затянулись, все гости были наслышаны обо мне. Для порядка Оливье смутился, но при этом подмигнул. То, как они отнеслись к моему появлению, тронуло меня — они старались вести себя так, чтобы я почувствовала себя своей в их компании. Феликс очень быстро освоился: болтал со всеми подряд, сыпал шутками. Оливье налил мне белого вина и извинился, что вынужден меня покинуть:

— Мне еще нужно кое-что доделать на кухне.

Я рассматривала его квартиру: ничего общего с жилищем холостяка. Напротив, дом производил впечатление обжитого. Ни беспорядка, ни подчеркнутого минимализма. У него было уютно, диван, обтянутый тканью, так и манил свернуться на нем клубочком, цветы в горшках и фотографии семьи и друзей делали помещение живым и гостеприимным. Все здесь было таким, как сам Оливье: внушающим спокойствие.

Я смеялась, болтала со своими симпатичными ровесниками, и мне начало казаться, что я такая же, как все. Я не цеплялась весь вечер за Феликса, потому что не ощущала никакой опасности. Я охотно удовлетворяла любопытство друзей Оливье: "Да, он мне нравится! Это только вопрос времени". Компания Оливье была тесно спаянной, и счастье каждого из них являлось предметом всеобщего искреннего интереса. Никто не расспрашивал меня о личной жизни, Оливье, как обычно, проявил тактичность и ничего не рассказал о ней. Мое хорошее настроение рассыпалось, словно карточный домик, когда из комнаты, которую я посчитала спальней Оливье, вышла женщина с полугодовалым младенцем на руках. Она буквально лучилась счастьем, несмотря на очевидную материнскую усталость. Первый мой порыв — с криком убежать. Я отошла в сторону в надежде, что она меня не заметит. Но она, естественно, тут же меня углядела и подошла с сияющей улыбкой:

— Ты Диана, да? Счастлива познакомиться, Оливье столько рассказывает нам о тебе.

Она поцеловала меня, мои ноздри сразу же поймали запах "Мустелы" и вернули меня к рождению Клары. Я всегда любила младенцев и их запах, и Колен часто повторял: "Ты нюхаешь свою дочку, как наркоманка героин". Перед тем как они ушли, мы подумывали о том, чтобы сделать еще одного ребенка и подарить Кларе братика или сестричку...

— Позволь представить тебе мое сокровище, — продолжила она, указывая на малыша, — я ее как раз кормила, когда ты... Черт, я забыла игрушку в спальне Оливье! Подержишь две секунды?

Не дожидаясь ответа, она передала мне дочку. Мою голову моментально сжали тиски, кровь застыла в жилах, я больше не видела эту девочку, я видела только саму себя с МОЕЙ Кларой на руках. Чувствовала ее кожу, ее крошечную ручку, вцепившуюся в мой палец, узнавала первые золотые завитки волос. Сквозь лепет этого младенца в мой мозг просачивался беззвучный вой. Я задыхалась и так сильно дрожала, что могла ее просто уронить, если продержу еще хоть секунду.

— Диана... Диана...

Я подняла затуманенные слезами глаза и увидела Оливье, который тихонько звал меня.

— Я возьму ее, ладно?

Я кивнула. Парализованная, я наблюдала, как Оливье занимается девочкой так, будто всю жизнь только и делал, что возился с младенцами. Он прижимал ее к себе, что-то шептал, а потом передал тому, кто, как я догадалась, был ее отцом. Потом он вернулся ко мне и положил руку мне на талию.

— Диана нужна мне на кухне! — объявил он гостям.

Выходя из комнаты, я поймала огорченный взгляд Феликса. Мой друг был белым как мел. Оливье закрыл за нами дверь своей маленькой кухоньки, широко открыл окно, достал из шкафа пепельницу и протянул мне сигареты. По всей вероятности, он прихватил их по дороге, а я и не заметила. Дрожа и плача, я закурила. Оливье молчал, давая мне возможность прийти в себя.

— Извини, что так вышло, — сказала я.

— Да ладно тебе, никто ничего не заметил. А если бы и заметили, это не их дело. Привести Феликса?

— Не надо...

Я всхлипывала, он протянул мне носовой платок.

— Я ненормальная... Я не могу... не могу больше видеть детей, младенцев... слишком больно. Всякий раз они напоминают, что у меня отняли мою дочку, мою Клару, любовь всей моей жизни... Я никогда не смирюсь с этим... Никогда не смогу забыть... переключиться на что-то другое...

Я всхлипывала. Нервный припадок маячил где-то поблизости. Оливье подошел ко мне, вытер мокрые щеки, положил руку на плечо. Я сразу почувствовала себя лучше: теперь я в безопасности, я ощущала его нежность, заботу. Он не воспользовался ситуацией. Понемногу мое дыхание выровнялось. Рядом с ним мне было спокойно, но воспоминание о том, как он держал этого младенца на руках, подтвердило то, чего я опасалась в глубине души и что мешало мне полностью расслабиться.

— Я не та женщина, которая тебе нужна...

— При чем тут это? — тихо спросил он.

Я отодвинулась.

— Если у нас с тобой получится...

Он снова осторожно обнял меня, я не сопротивлялась.

— Я нисколько в этом не сомневаюсь! — заявил он, гладя мое лицо.

— Я никогда не смогу подарить тебе ребенка. Я больше не хочу детей... Мама, которой я была, умерла вместе с Кларой.

— Именно это тебя удерживает?

— В один прекрасный день тебе захочется иметь семью, я видела тебя с ребенком на руках, ты с таким восторгом прижимал его к груди. Не прощу себе, если ты потеряешь со мной время. Найди девушку, которая захочет...

— Тс-с-с!

Он положил палец на мои губы и заглянул мне в глаза.

— Я люблю детей, это правда, но в особенности чужих. Дети — не цель моей жизни. Я уверен, что семейная пара может быть самодостаточной. И только этого жду от наших с тобой отношений. Только этого, и ничего больше, клянусь. Что до детей, у нас еще будет время о них подумать... Мы можем рискнуть и пройти часть пути вместе, — с улыбкой подвел он итог.

С таким мужчиной, как он, жизнь могла оказаться значительно более приятной. Его руки были сильными и надежными, взгляд ореховых глаз мягким и смеющимся, а лицо выразительным. Мне оставалось сделать всего один шаг. Я осторожно потянулась к нему и прильнула губами к его губам. Он крепче стиснул меня, я приоткрыла рот, наш поцелуй стал более глубоким, я обвила руками его шею. Оливье прижался лбом к моему лбу, погладил меня по щеке, и я с улыбкой опустила ресницы.

— Все бы отдал за то, чтобы они все сейчас испарились, — шепнул он мне на ухо.

— И я!

— Если тебе слишком тяжело, я провожу тебя домой.

— Нет, я хочу остаться.

— Не бойся, я буду все время рядом.

Мы снова обменялись долгим, страстным поцелуем. Нам, однако, приходилось сдерживаться. Слегка задохнувшись, мы отодвинулись друг от друга.

— Вернемся? — спросил Оливье, скорчив недовольную гримасу.

— А что еще мы можем сделать?!

Мы взяли на кухонном столе блюда с едой — нужно было как-то отвлечься. Перед тем как открыть дверь, Оливье в последний раз поцеловал меня. Избежать немых вопросов Феликса мне не удалось, как я ни старалась. Он заметил, что я плакала, но понял, что произошло еще что-то. Когда он догадался, в чем дело, Феликс удивленно выкатил глаза и игриво подмигнул мне. Весь остаток вечера я не отходила от Оливье. Напряжение быстро отпустило, потому что ребенка уложили, и он ни разу за вечер не подал голос. Когда мы чувствовали, что любопытство окружающих ослабевает, мы старались коснуться друг друга. Я не вслушивалась в общий разговор — думала о том, что произошло, и мечтала как можно скорее остаться наедине с Оливье.

Феликсу удалось перехватить меня.

— Вернешься к себе?

— Не знаю, но не жди меня.

— Аллилуйя!

Все ушли. Кроме меня. Как только мы остались одни, я преодолела два метра, которые разделяли нас, прильнула к нему, нашла его губы. Мои руки легли на его плечи, пальцы Оливье скользили по моей талии, спине.

— Могу я остаться на ночь? — прошептала я, не отрываясь от него.

— Зачем ты спрашиваешь? — откликнулся он.

Продолжая прижиматься к нему, я увлекла его в спальню, к кровати... Когда мы занимались любовью, во мне говорило не грубое желание, а потребность в нежности, сближении, ласке. Каждый жест, каждое движение, каждый поцелуй Оливье были осторожными и бережными. Он заботился в первую очередь не о своем удовольствии, а о том, чтобы дать его мне. Я поняла, что обрела мужчину, в котором нуждалась. Засыпая в его объятиях, я сказала себе, что отныне я не женщина Колена, а просто Диана.

Весь следующий месяц я заново открывала для себя жизнь вдвоем. Мы встречались ежедневно, кроме воскресенья: о том, чтобы отказаться от позднего завтрака с Феликсом, речь не шла. Как правило, я оставалась на ночь у Оливье, он бывал у меня реже. Мне еще трудно было полностью раскрыться перед ним, но он не обижался: ждал, как и раньше, чтобы я пришла к нему, когда буду готова.

Настало лето, и я сказала Оливье, что не буду закрывать кафе. Если он расстроился, что мы не проведем отпуск вместе, то не подал вида. Тем вечером в начале июля мы сидели на террасе за бокалом вина, и тут я предложила ему альтернативный вариант:

— Давай уедем вдвоем на длинный уикенд. Ты как?

— Я сам подумывал об этом, но сказал себе, а вдруг совместная поездка тебя не соблазняет, — подмигнул он.

— Ну и дурак!

Он рассмеялся и продолжил:

— Если серьезно, то я же знаю, что ты не любишь надолго расставаться со "Счастливыми людьми".

— Ты прав, я этого побаивалась, но теперь есть ты, и к тому же мы уедем ненадолго. Надеюсь, Феликс проследит за всем…

Эту ночь Оливье провел у меня.

Длинный уикенд по случаю 14 июля пришелся как нельзя кстати. Я расстанусь со "Счастливыми людьми" на четыре дня, значит, мне нужно подробно проинструктировать Феликса. Оливье все организовал сам: выбрал место, заказал билеты на поезд, гостиницу. Вообще-то у меня, по его мнению, было слишком мало выходных. Поэтому за два дня до нашего отъезда они сговорились с Феликсом и заставили меня уйти из кафе на всю вторую половину дня "для контрольной проверки", как они это назвали. К моей величайшей радости, они идеально ладили, найдя друг в друге родственные души: Оливье смеялся над всеми выходками Феликса и не воспринимал нашу тесную дружбу и полное взаимопонимание ни критично, ни ревниво. Что до Феликса, то он видел в Оливье преемника Колена, ценил его юмор и в особенности то, что Оливье никогда не задавал настырных вопросов по поводу моей погибшей семьи.

Во время "теста на совместный отдых" Оливье повел меня в магазины, которые я игнорировала последние несколько лет, и я воспользовалась распродажами, чтобы обновить летний гардероб. Я следовала за ним, не заморачиваясь выбранным маршрутом, а он вел меня по парижским улицам, держа за руку. В какой-то момент Оливье остановился перед спа-центром. Я повернулась к нему. На моем лице был написан вопрос.

— Подарок!

— Ты о чем?

— В ближайшие два часа тебя будут ублажать. Отпускная расслабуха начинается сегодня.

— Напрасно ты...

— Тс-с-с! Это доставит мне удовольствие. Потом ты вернешься домой, будешь готовиться, а я приду в семь вечера. Я тут нашел выставку, которая должна тебе понравиться, а потом мы поужинаем в ресторане.

Я бросилась к нему на шею. После Колена никто никогда не заботился обо мне, как он.

Я сбросила напряжение, моя кожа стала нежной, как у младенца, и я впервые надела новое красивое черное платье и босоножки на платформе, которые купила в тот же день. Перед тем как спуститься в "Счастливых", чтобы подождать Оливье, я остановилась перед зеркалом. Меня радовало, что я такая красивая, и я надеялась, что он это оценит. Взгляд, которым он встретил меня полчаса спустя, не разочаровал.

В метро я держала его за руку, не отрываясь, смотрела на него, целовала в шею, словно влюбленная школьница. Я подвела черту под столькими вещами и не представляла себе, что могло бы прервать мирное очарование моей жизни, которое подарил мне Оливье. Я постепенно признавалась себе, что влюблена в него, и меня охватывало блаженное чувство.

Мы вышли из метро на Монпарнасе. Я шла за Оливье, не задавая вопросов и испытывая возбуждение при мысли о том, что впереди у меня интересная выставка. Он сохранил интригу до конца. Когда мы были на месте, он заставил меня повернуться спиной к двери, чтобы оттянуть момент, когда я узнаю, что меня ожидает. За спиной звучала ирландская музыка: музыка кельтов в "бретонском квартале"[1] — вполне логично!

— Я просматривал "Парископ" и вдруг наткнулся на эту выставку. Она вот-вот закроется, нужно было успеть. — Оливье был доволен собой.

— А что там?

— Зайди и увидишь.

Я толкнула дверь. Это была выставка, посвященная морю и его влиянию на британскую, шотландскую и ирландскую культуры. Организаторы создали атмосферу паба: подавали здесь не шампанское и пирожные, а гиннесс, виски и чипсы с уксусом. Мое возбуждение погасло, уступив место глубочайшему замешательству.

---

1 *"Бретонский квартал"* — так называют парижский район Монпарнас.

— Ты сказала, что Ирландия благотворно подействовала на тебя, и я подумал, что тебе должно понравиться.

— Да, — с трудом выдавила я.

Оливье обнял меня за талию, и мы стали обходить галерею. Здесь было много народу, приходилось протискиваться сквозь толпу. Я не решалась поднять глаза ни на одну картину, ни на одно фото, опасаясь увидеть знакомый пейзаж, поймать настроение, позволить эмоциям всплыть на поверхность. Я односложно отвечала на вопросы Оливье и отказалась от предложенной кружки гиннесса.

— Кажется, моя идея была не самой удачной, — сказал он в конце концов.

Я взяла его руку и крепко сжала.

— Сама виновата, я говорила, что мне понравилась эта страна и жизнь на берегу моря, и это правда... Но у меня остались не только хорошие воспоминания. Я там была не в лучшей форме.

— Тогда давай уйдем. Меньше всего я хотел причинить тебе боль, вот уж точно. Мне очень жаль, что так получилось.

— Не ругай себя. Но все же я бы предпочла уйти. Давай продолжим вечер где-то в другом месте.

Мы направились к выходу, я прижималась к нему и смотрела под ноги. Мы уже почти вышли, когда из музыки и общего гула вынырнул голос. Голос, парализовавший меня. Вернувший меня в Малларанни. Голос, от которого на моих губах появился вкус водяной пыли. Пахнущий табаком хриплый голос, который, я думала, больше никогда не услышу.

— Подожди, — попросила я Оливье, отрываясь от него.

Я оставила его у дверей, вернулась в зал, эхо голоса, звучавшего будто пение сирен, манило меня и гипнотизировало. Но это же невозможно! Я все придумала под влиянием потока воспоминаний, нахлынувших в этих залах. И все-таки я обязана разобраться. Я вглядывалась в фигуры, лица, прислушивалась к разговорам, отталкивала тех, кто мешал мне пройти, и вдруг застыла на месте. Да, мне не послышалось, это его голос. Всего несколько сантиметров разделяли нас. Вот он здесь, спиной ко мне, высокий, небрежно одетый и непричесанный, без пиджака, с сигаретой, зажатой между пальцами в ожидании, что к ней вот-вот поднесут зажигалку. Если я втяну воздух, его запах наполнит мои ноздри и вернет меня в его объятия. Я дрожала, во рту пересохло, ладони стали влажными, меня бросало то в жар, то в холод.

— Эдвард... — проблеяла я, сама того не желая.

Мне показалось, что меня услышали все присутствующие. Но имел значение только он, один из всех. Его тело напряглось, он на секунду опустил голову, сжал кулаки и несколько раз подряд нервно щелкнул зажигалкой. И только потом обернулся. Наши взгляды впились друг в друга. Мой излучал удивление и вопрос. Его сперва пробежался по мне с головы до ног, а потом обдал холодом и высокомерием. Черты его лица оставались такими же жесткими и надменными, как в моих воспоминаниях. Щетина, как и раньше, покрывала щеки и подбородок. В волосах, по-прежнему встрепанных, появилось несколько белых нитей. Он выглядел изнуренным, с печатью чего-то такого, что мне не удавалось сформулировать.

— Диана, — наконец-то произнес он.

— Что ты здесь делаешь? — спросила я дрожащим голосом, самым естественным образом переходя на английский.

— Выставляю свои фотографии.

— Сколько ты уже в Париже?

— Три дня.

Я ощутила, как на мое сердце обрушился удар кулака.

— Ты собирался прийти...

— Нет.

— А-а...

Вопросы роились у меня в голове, но я была неспособна связно задать ни один из них. Его враждебное и отстраненное поведение лишало меня воли. Взгляд Эдварда переместился куда-то за мою спину, и я почувствовала на ней руку.

— А я ищу тебя, — произнес голос Оливье.

Как я могла забыть о нем? Я постаралась улыбнуться и обернулась:

— Извини, пожалуйста... Я... Выходя, я заметила Эдварда и...

Он протянул ему руку:

— Рад знакомству, я Оливье.

Эдвард молча пожал ему руку.

— Эдвард не говорит по-французски.

— Ох, прошу прощения! Вот уж не думал, что ты встретишь здесь знакомого! — улыбнулся Оливье, произнеся эту фразу на идеальном английском.

— Эдвард — фотограф и...

— Я был соседом Дианы, когда она жила в Малларанни.

Если бы я хотела его охарактеризовать, то уж точно выбрала бы другое определение. Он не был просто соседом. Кем он оставался для меня? Удары сердца посылали противоречивые сигналы на этот счет.

— Невероятно! И вы встречаетесь здесь по чистой случайности, подумать только! Если бы я знал... Диана, хочешь остаться? Вам наверняка надо столько всего рассказать друг другу!

— Нет, — возразил Эдвард. — У меня дела. Был рад знакомству с тобой, Оливье.

Потом взглянул на меня:

— Будь счастлива.

Поняв, что он сейчас уйдет, я запаниковала:

— Погоди!

Я схватила его за руку. Он уставился на мою ладонь. Я ее живо отдернула.

— Сколько ты здесь пробудешь?

— Завтра вечером у меня самолет.

— О... ты уже возвращаешься... Уделишь мне немного времени?

Он провел рукой по лицу.

— Не знаю.

— Пожалуйста, приходи в "Счастливых людей". Очень тебя прошу...

— Не понимаю зачем, — пробормотал он в свою щетину.

— Нам точно нужно многое сказать друг другу.

Он зажал погасшую сигарету в углу рта и посмотрел мне в глаза:

— Ничего не обещаю.

Я лихорадочно рылась в сумочке в поисках визитки "Счастливых".

— Тут адрес и план на обороте. Позвони, если не найдешь.

— Найду.

Он бросил на меня последний взгляд, кивнул Оливье и ушел.

— Пойдем? — спросил Оливье. — Ужин в ресторане в силе?

— Конечно. Ничего не изменилось.

В дверях я обернулась. Эдвард с кем-то разговаривал и при этом пристально смотрел на меня.

Полчаса спустя мы сидели в индийском ресторане. Каждый проглоченный кусок давался мучительно, но ради Оливье я заставляла себя есть. Его внимание и предупредительность оставались неизменными, несмотря на мои выходки. А ведь он этого не заслужил. Я не имела права и дальше оставлять его в неведении. В то же время следовало аккуратно подбирать слова.

— Извини меня за то, что произошло, — начала я. — Я не должна была бросать тебя... Но это так странно — вдруг наткнуться на человека... Я испортила твой сюрприз.

— Да нет, ерунда. Если я и расстроился, то только потому, что это стало для тебя потрясением.

— Пройдет, не волнуйся. Погружение в ирландскую атмосферу вернуло меня к не самому однозначному периоду моей жизни.

— А Эдвард? Он кто?

В его голосе подозрительности ни на йоту.

— Он, как и сказал, был моим соседом. Я снимала коттедж рядом с его домом у Эдвардовых тети и дяди, Эбби и Джека. Потрясающие люди... И я дружила с его сестрой Джудит, вторым Феликсом, но в гетеросексуальном варианте.

— Должно быть, нечто особенное!

— Да, она необыкновенная...

— А после того, как ты уехала?

— Мне что-то стукнуло в голову, и я сбежала из Ирландии, попрощавшись впопыхах, и больше никогда с ними не общалась. Сегодня мне стыдно, что я была такой бессовестной.

— Тебе нечего стыдиться, — возразил он, беря меня за руку. — Они и сами могли позвонить.

— Они не из тех, кто вторгается в чужую жизнь. И всегда уважали мое молчание. И мой отъезд в этом смысле ничего не изменил.

— Поэтому ты так хочешь встретиться с ним завтра?

— Да...

— Он не слишком разговорчив, думаешь, тебе удастся что-нибудь из него вытянуть?

Как не рассмеяться его замечанию?

— Ну да, он будет краток, я услышу только самое необходимое, но все равно это лучше, чем ничего.

Я вздохнула и уставилась в свою пустую тарелку.

— Может, сегодня ты предпочитаешь спать одна?

Он искал моего взгляда.

— Нет, пойдем к тебе.

Когда мы легли, Оливье не стал заниматься любовью, а просто поцеловал и обнял меня. Он уснул довольно быстро, а я всю ночь не сомкнула глаз. Заново переживала каждое мгновение этой нежданной встречи. Еще несколько часов назад Ирландия была перевернутой страницей, закрытой книгой моей жизни. Такой она и должна остаться. Если Эдвард завтра появится, я узнаю новости обо всех, потом он уйдет, и моя жизнь вернется в привычное русло.

Я вставала очень осторожно, но все же разбудила Оливье.

— Ты уже в порядке? — спросил он сонным голосом.

— Да. Спи. Наслаждайся отпуском. — Я тронула губами его плечо.

— Я приду к тебе в конце дня.

Последний поцелуй, и я ушла.

Через сорок пять минут я открыла "Счастливых", так и не съев традиционный круассан. Желудок отказывался принимать пищу. Утренние клиенты почувствовали, по всей вероятности, мое плохое настроение и не трогали меня, позволив переваривать за стойкой одолевавшие меня мысли. Когда ближе к полудню в дверях возник Феликс, я догадалась, что с ним этот номер не пройдет. У меня не оставалось выбора. Если Эдвард нанесет мне визит, Феликс окажется самым привилегированным зрителем этого шоу. И попробуй забыть, что при первой встрече они подрались!

— Ну и видок у тебя! У Оливье вышла осечка или что?

Он сразу перешел в атаку. Я решила тоже действовать напрямик:

— Эдвард в Париже, я случайно столкнулась с ним вчера вечером.

Он свалился на ближайший стул.

— Хочется думать, что я все еще под экстази!

Сама того не желая, я захихикала:

— Нет, Феликс. Это чистая правда, и он, может быть, сегодня зайдет сюда.

По выражению моего лица он понял, что это не шутка. Встал, обогнул стойку, приобнял меня:

— Ты как?

— Не знаю.

— А Оливье?

— Я не рассказала ему, что между нами было.

— Он приехал из-за тебя?

— Судя по реакции, не похоже... Он выставлял свои фотографии и сегодня уезжает.

— Ну, ну, могло быть и хуже. Сегодня я вкалываю с утра до вечера. Не лишать же себя такого зрелища!

Я расхохоталась.

Это был мой самый длинный рабочий день. Я только и делала, что ждала. Феликс краем глаза наблюдал за мной или паясничал, чтобы отвлечь меня. Время шло, и я все чаще повторяла себе, что он не придет. И что на самом деле, возможно, это не худший вариант. Есть вещи, которые опасно ворошить.

Я возвращала клиенту сдачу, когда он появился на пороге с дорожной сумкой на плече. Мгновенно кафе показалось мне маленьким: все место в нем занял Эдвард. Он пожал руку Феликсу, которому хватило такта обойтись без сомнительных шуток, облокотился о стойку и оглядел мой мир самым внимательным образом. Это продолжалось долго-долго. Его зелено-голубые глаза медленно скользили по книгам, бокалам, фотографиям на стойке. Потом он остановил свой взгляд на мне, все так же молча. Столько всего всплывало на поверхность: наши ссоры, несколько поцелуев, мое решение, его объяснение в любви, наше расставание. Феликс не смог больше выносить напряжение и заговорил первым:

— Выпьешь пива, Эдвард?

— У тебя не найдется чего-нибудь покрепче? — спросил тот в ответ.

— Десятилетняя выдержка подойдет?

— Не разбавляй.

— Тебе кофе, Диана?

— С удовольствием, спасибо, Феликс. Сможешь, если понадобится, обслужить клиентов?

— Мне за это зарплату платят! — Он ободряюще подмигнул мне.

Эдвард поблагодарил Феликса и глотнул виски. Я его достаточно хорошо знала, чтобы понимать: если я не начну разговор, он за целый час не произнесет ни слова. К тому же это я просила его прийти.

— Ты, оказывается, выставляешься в Париже?

— Возникла такая возможность.

Он потер глаза, обведенные черными кругами. Откуда эта усталость, которую нельзя не заметить?

— Как у тебя дела?

— Много работаю. А ты?

— У меня все в порядке.

— Вот и хорошо.

Что я могу рассказать о себе? И как разговорить его?

— Джудит? Что у нее слышно?

— Да все по-прежнему.

— В ее жизни появился мужчина?

На такой вопрос он просто обязан среагировать.

— Несколько, — вздохнул он.

Это был неправильный вопрос.

— А Эбби и Джек? Как они себя чувствуют?

На этот раз я, похоже, не ошиблась. Впервые за все время Эдвард попытался избежать моего взгляда. Поскреб подбородок, повертелся на стуле и выудил сигареты из кармана.

— Что случилось, Эдвард?

— С Джеком все в порядке...

— А Эбби?

— Сейчас вернусь.

Он вышел и закурил. Я взяла сигарету и присоединилась к нему.

— Ты тоже не бросила, — с ухмылкой заметил он.

— Не вижу смысла... К тому же мы вроде говорили не о нашем с тобой пристрастии к табаку.

Я встала перед ним.

— Эдвард, посмотри на меня.

Он послушался. Я поняла, что мне предстоит услышать малоприятные новости.

— Эбби? С ней все в порядке, да?

Иначе и быть не может, она стоит у меня перед глазами, на велосипеде, как в нашу первую встречу, такая же брызжущая жизнью, вопреки возрасту.

— Она больна.

— Но... она выздоровеет?

— Нет.

Я прижала ладонь ко рту. Эбби — фундамент семьи, такая по-матерински заботливая, доброжелательная и щедрая. Я вспомнила, как, решив, что я слишком худая, она стала пичкать меня морковным кексом, едва ли не силком запихивая ломти в рот. Я почти физически ощущала ее последнее объятие, когда я попрощалась с ней; а она попросила: "Давай о себе знать". В тот момент я этого не понимала, но в действительности Эбби оказала на меня серьезное влияние — во многом благодаря ей я начала выздоравливать. А я ее бросила.

Я пыталась вернуть себе самообладание, и в эту минуту рядом с нами вырос Оливье. Эдвард заметил, что я отвлеклась, и обернулся. Мужчины пожали друг другу руки, а Оливье скромно коснулся моих губ.

— Все в порядке? — спросил он.

— Не очень. Эдвард только что сообщил мне ужасную новость: Эбби тяжело болеет.

— Я вам сочувствую, — обратился он к Эдварду. — Ладно, оставляю вас, вам наверняка надо поговорить наедине.

Он погладил меня по щеке и пошел в кафе к Феликсу. Я проводила его взглядом, потом повернулась к Эдварду, который наблюдал за мной. В моем желудке копошился клубок змей, я держала голову запрокинутой и глубоко дышала, чтобы не заплакать, и только через какое-то время смогла снова обратиться к Эдварду:

— Расскажи мне, пожалуйста...

Он покачал головой и ничего не ответил.

— Это невозможно... не могу поверить в то, что ты сейчас...

— Она обрадуется, узнав, что у тебя все в порядке. Она все время беспокоится о тебе.

— Я хотела бы что-то сделать... Можно я буду узнавать, как она себя чувствует?

Он окинул меня мрачным взглядом:

— Я скажу ей, что видел тебя, и этого будет достаточно.

Он посмотрел на часы:

— Мне пора.

Эдвард вошел в кафе, оставив дверь открытой, взял сумку, попрощался с Феликсом и Оливье и вернулся ко мне. Я собралась с духом:

— Пока ты еще здесь, мне нужно задать тебе один вопрос.

— Слушаю.

— Это не имеет отношения к Эбби, но мне надо знать. Несколько месяцев назад я дважды пыталась до тебя дозвониться и даже оставила сообщение. Ты его получил?

Он закурил новую сигарету и в упор посмотрел на меня:

— Да.

— А почему ты не...

— Диана, в моей жизни уже давно нет места для тебя...

Он дал мне не больше пяти секунд на то, чтобы переварить услышанное.

— Оливье, похоже, хороший человек. Правильно сделала, что заново выстраиваешь свою жизнь.

— Не знаю, что тебе сказать...

— Тогда ничего не говори.

Я шагнула к нему, но в последний момент спохватилась.

— До свидания, Диана.

Не дав мне времени на ответ, он развернулся и ушел. Я не двинулась с места, пока он не исчез за углом в конце улицы. Я сражалась со слезами. Утопическая картинка понемногу пробивалась сквозь реальные воспоминания: вот я снова в Малларанни, и ничего не изменилось. Эбби по-прежнему весела, Джек здоровый и крепкий, Эдвард одинок, у него никого нет, кроме пса и фотографий. Почему я предполагала, будто жизнь без меня застынет на месте? Разве я настолько эгоцентрична? Но мысль о больной, приговоренной Эбби принять было невозможно. Мне хотелось плакать над ней, над ее болью, над надвигающейся утратой. И над Эдвардом, который теперь стал другим. И над осознанием того, что моей Ирландии больше нет. Все было так, будто до этого момента я в душе надеялась на радостную встречу, на хорошие новости...

И вот все кончено. У меня теперь есть Оливье, в жизни Эдварда появилась женщина. Каждый из нас начал новую главу. Но Эбби... Как не думать о ней?

Глава пятая

Наше романтическое путешествие пришлось как нельзя более кстати. Оливье, возможно, и не подозревал, насколько удачна его затея увезти меня к морю, в уютную бухточку, окруженную скалами. Солнце, жара, певучие интонации местных жителей, прохладное розовое вино и мой новый купальник помогли вернуть все на свои места.

Эти четыре дня стали волшебным уходом от реальности, и я еще больше привязалась к Оливье. Он угадывал все мои желания, всякое его действие, всякий жест были нежными, а слова предельно тактичными. Он был полон решимости сделать все, чтобы я как следует отдохнула, поэтому мы отказались от усердного изучения окрестностей. Я заново открывала для себя значение слова "отпуск" — благодаря долгим сиестам, которые себе позволяла, купанию в море, ужинам в ресторане. Мы бездельничали вдвоем, сколько влезет, и это доставляло нам удовольствие. Я даже почти забыла о "Счастливых людях".

Уже завтра мы должны уезжать. Мы обедаем на террасе, и тут вдруг мои мысли почему-то принимают другое направление: я заволновалась, справляется ли Феликс.

— О чем ты думаешь, Диана?

— О Феликсе, — засмеялась я.

— Тревожишься?

— Немного…

— Так позвони.

— Нет, я могу подождать еще сутки.

— Ты уже заработала приз жюри за то, что вспомнила о нем только сейчас! Я ожидал, что это случится гораздо раньше. Не отказывай себе ради меня.

— Спасибо! Я позвоню ему с пляжа, пусть позлится!

Оливье рассмеялся:

— Я и не подозревал, что у тебя имеются садистские наклонности.

— Он это обожает, что поделаешь… Давай еще выпьем!

Час спустя я поджаривалась на солнце, а Оливье плавал. Он выбрал для нас уголок среди скал, недоступный детям, чтобы избавить меня от приступов отчаяния. Я чувствовала, как нагревается моя кожа, и мне это нравилось. А особенно нравился загар, придававший мне здоровый, сияющий вид — в последний раз я была такой после нашего семейного отдыха. И еще одна вещь делала меня особенно счастливой: отсутствие чувства вины. Я просто ликовала!

— Счастливые люди ни хрена не делают в июле, слушаю вас!

Я почти отвыкла от упоминания "Счастливых людей"...

— Феликс, видел бы ты меня сейчас! Я румяная, как поджаристый пирожок, чуть поддатая после нескольких бокалов правильно охлажденного прованского винца и скоро отправлюсь плавать в море с любимым мужчиной.

— Что за незнакомка мне звонит?

— Единственная и неповторимая — твоя хозяйка!

— Значит, ты теперь предаешься безумствам?

— Еще как! А что у тебя? "Счастливые люди" пока не рухнули?

— Мне удалось избежать пожара, наводнения и ограбления, так что я, можно сказать, справляюсь.

— Иными словами, мне пора возвращаться. На завтрашний вечер назначается большая ревизия.

— Оттянись по полной. Очень приятно слышать тебя такой.

— Я так и собираюсь.

— Я боялся, что после появления этого перца и в особенности после сообщения о болезни Эбби ты снова замкнешься.

— Все хорошо. Будем прощаться, Оливье машет мне.

Я выключила телефон и закинула его на дно сумки. Сдержалась и не стала злиться на Феликса за последнее замечание. Я сделала все, чтобы не думать об Эбби и насладиться обществом Оливье. Буду продолжать в том же духе. Я глубоко вздохнула, сняла солнечные очки и вошла в воду. Подплыла к нему, ухватилась за плечи, он улыбнулся мне и тронул губами руку, обвившую его шею.

— Все в порядке? — спросил он.

— Давай не будем о Париже.

Последняя ночь в отеле. Мы только что занимались любовью — нежно, как всегда, — и меня охватил страх. Страх потерять нечто драгоценное после этих кратких каникул, боязнь утратить спокойствие, попросту говоря. Оливье прижимался к моей спине. Он обнял меня. Я рассеянно гладила его руку и смотрела в открытое окно.

— Диана, ты уже несколько часов где-то далеко...

— Да нет, что ты...

— Проблемы со "Счастливыми", с Феликсом?

— Вовсе нет.

— Скажи мне, что тебя мучит.

Хватит! Пусть он замолчит! Зачем он такой внимательный и проницательный? Не хочу, чтобы он проткнул шар, внутри которого нам так хорошо и спокойно!

— Ничего, клянусь тебе.

Он вздохнул и потерся носом о мою шею:

— Ты не умеешь лгать. Беспокоишься за эту женщину, твою ирландскую хозяйку?

— А ты с каждым днем все лучше меня знаешь... Да, правда, я вспоминаю ее и не могу поверить. Она так много сделала для меня, я только теперь это понимаю... И представить себе, что она... нет, это невозможно. Мне хочется что-то сделать. Но что?

— Для начала позвони ей.

— Не уверена, что сумею.

— Придется набраться смелости, но ты гораздо сильнее, чем тебе кажется. Когда я встретил тебя, ты показалась мне невероятно хрупкой. Но потом я разглядел у тебя внутреннюю силу, большие запасы силы. У тебя получится.

— Я подумаю.

Я повернулась к нему и поцеловала. Мне нужно было, чтобы он все время оставался рядом, хотелось вцепиться в него и не отпускать, и я не собиралась взвешивать возможные последствия звонка в Ирландию.

Понадобилось больше месяца, чтобы я решилась набрать номер Эбби и выбрала для этого удобную минуту. В "Счастливых" Феликс был всегда рядом, остальное время я проводила с Оливье и не представляла себе, как буду разговаривать с Эбби в его присутствии. В действительности я просто оттягивала этот момент, потому что очень боялась того, что могу услышать. В конце августа я воспользовалась отсутствием Феликса, собралась с силами и решилась.

— Алло?

В ее голосе слышалась усталость, но я узнала Эбби, и это лишило меня дара речи.

— Алло!.. Кто говорит?

— Эбби... это я...

— Диана? Неужели правда ты?

— Да. Прости, что я не...

— Молчи, моя милая девочка. Я так рада тебя слышать. Когда Эдвард сказал нам, что видел тебя...

— Он вам сказал?

— Это нам еще повезло! Сообщил, что у тебя все в порядке, что ты встретила парня. Это прекрасно!

Что ж, все понятно, никакой неопределенности.

— Спасибо... А ты, как ты себя чувствуешь?

— Я в форме!

— Эбби, — пробормотала я. — Эдвард не вдавался в подробности, но он...

— Ему еще за это влетит, он не должен был огорчать тебя...

Мне вдруг показалось, что мы расстались только вчера.

— Он правильно сделал. А что с тобой?

— Сердце старой дамы устало, знаешь ли...

— Ты не старая!

— Диана, ты прелесть. Не переживай, это жизнь... Очень рада тебя слышать, мне тебя не хватает.

— Взаимно, Эбби.

— Ох, если бы я себе позволила, то кое о чем бы тебя попросила.

— Проси о чем хочешь, Эбби!

— Приезжай к нам в гости.

Вернуться в Ирландию, в Малларанни... я об этом ни разу не думала.

— Ой... не знаю...

— Я мечтаю увидеть вас всех еще раз. И Джудит сойдет с ума от радости. Ты — ее единственная настоящая подруга.

Эбби умеет сыграть на чувствах, когда ей это нужно. Как я могла забыть? Звякнул колокольчик: пришел Оливье, чтобы помочь мне закрыть кафе.

— Ничего не обещаю, посмотрю, что получится.

— Не слишком задерживайся, моя маленькая.

— Не говори так.

Я встретилась взглядом с Оливье, который сразу понял, с кем я разговариваю, и мило улыбнулся мне.

— Я... я скоро тебе перезвоню.

— Спасибо, Диана, за звонок. До скорого. Целую тебя.

— И я тебя, Эбби, и я тебя.

Я положила телефон на стойку, бросилась в объятия Оливье. Через минуту я уже плакала у него на груди. Мне хотелось прямо сразу оказаться там, вместе с ней, у камина в ее гостиной, и сказать ей, а потом повторить много-много раз, что она обязательно выздоровеет. Как я могла вот так, ни с того ни с сего, сбежать из Ирландии?

— Было так тяжело?

— Судя по тому, что она говорит, конец совсем близок.

— Мне очень жаль, Диана...

— Придется отказать ей, мне просто дурно делается, как подумаю...

— А в чем дело?

— Сейчас закроемся, и я тебе объясню.

— Как скажешь.

Нужно все переварить, а уж потом говорить с ним. Закрыть кафе недолго. Оливье пошел за фалафелем на ужин. Мы ели, и я поделилась с ним просьбой Эбби, о которой все время думала.

— Боишься, что тебе будет слишком тяжело?

— Нет, я не о себе думаю, мне жалко Эбби.

— Тогда почему ты отказываешься ехать?

— "Счастливые"...

— Феликс прекрасно справился, когда нас не было.

И все равно я отказывалась поверить в то, что это возможно.

— А ты? Не хочу оставлять тебя... Поедешь со мной?

— Нет, Диана. По разным причинам. Я не могу позволить себе еще один отпуск. И даже если бы мог, все равно не поехал бы — это твои друзья, и я не хочу, чтобы мое присутствие помешало вашему общению. К тому же так тебе будет спокойнее — я всегда помогу Феликсу.

Я тяжело дышала, мне было страшно. Он обхватил ладонями мое лицо и заглянул в глаза.

— Единственное, о чем я тебя спрошу, — уверена ли ты в себе? Тебе действительно хочется поехать? Тебе это по-настоящему необходимо?

— Да, — призналась я.

Я воспользовалась вай-фаем "Счастливых людей" и прямо из кафе заказала билет на самолет и арендовала машину. Эбби категорически запретила мне останавливаться в гостинице, я буду жить у них. Феликса я предупредила о своем отъезде эсэмэской, не уточнив, куда собралась. Оливье, конечно, горячо одобрил мое решение, а от лучшего друга я ждала другой реакции, и ее нужно было как-то смягчить. К тому же времени у меня оставалось всего ничего: мой самолет в Дублин вылетал через три дня после его возвращения из отпуска.

Сегодня Феликс выходит на работу, и с самого утра я была натянута как струна. Я дала ему пересказать все впечатления от поездки, чтобы потом взорвать бомбу. Но он все понял по-своему.

— Такая безумная любовь, что вы хотите снова уехать и запереться на несколько дней в гостиничном номере? Потом расскажешь?

— На самом деле… я еду не с Оливье.

— Вот как! Что же ты тогда делаешь?

— Лечу в гости к Эбби.

— Что-о-о? Ну и шутки у тебя!

— Вовсе нет.

— Совсем свихнулась?

— Не собираюсь просить у тебя разрешения. Между прочим, я предложила Оливье поехать со мной, но он отказался.

— Знай он про твои шашни с Эдвардом, наверняка бы согласился. А так он запускает лису в курятник. Мне он казался умнее.

— Ты не прав.

Феликс демонстрировал мне свое неудовольствие до самого отъезда. Однако, прощаясь с ним, я почти физически ощутила его беспокойство.

— Ты любишь Оливье? Я имею в виду, любишь ли ты его по-настоящему?

— Думаю, да... Ну, я влюблена в него.

— Ты ему об этом сказала?

— Нет пока.

— Тогда держи себя в руках в Ирландии.

— Феликс, я вернусь меньше чем через неделю. Не понимаю, что такого может со мной случиться.

Оливье проводил меня в аэропорт, хоть я и говорила, что это не обязательно. И я знала, что по возвращении увижу его в зале прилета. Он не докучал мне советами быть осторожной. У меня портилось настроение, когда я вспоминала, что не увижу его целую неделю, и это доказывало, что Феликс заблуждается. Я оставалась в объятиях Оливье до самой последней минуты.

— Я тебе сразу позвоню, — пообещала я между двумя поцелуями.

— Все пройдет хорошо, я уверен.

Я обняла его в последний раз и направилась на посадку.

Странно, но стоило мне ступить на ирландскую землю, как я почувствовала себя дома. Словно вернулась к себе после долгого отсутствия. Я не была готова к тому, что мне станет так хорошо. Думала, что почувствую себя скверно, буду грустной, напуганной, что воспоминания замучают. А вышло все наоборот. Каждый шаг, каждый километр воспринимались совершенно естественно и приближали к родному пристанищу. И тело и дух сохранили свежую память об этой дороге.

На подъезде к Малларанни я притормозила. Последний холм — и вот передо мной открылась бухта. Вид так потряс меня, что я заглушила мотор у обочины. Порыв ветра разметал волосы, как только открылась дверца машины, и я расхохоталась. А потом застыла на месте, любуясь пейзажем, который столько месяцев подряд был моей единственной вселенной. Господи! Как мне его не хватало. Вдалеке я различала свой и Эдвардов коттеджи. Я покрылась гусиной кожей, запрокинула голову и вдохнула полной грудью этот чистый, насыщенный йодом воздух. Из-за ветра набежали первые слезы, благодатные слезы, которые словно бы омыли и глаза и лицо. Все плохое осталось позади, отныне я помнила только волшебные мгновения, связанные с этим местом. То путешествие помогло мне примириться с мрачным периодом моей жизни.

Когда я приехала в деревню, меня поразило отсутствие перемен, все оставалось таким же, как в моих воспоминаниях: магазинчик, бензозаправка и паб. Я едва не остановилась, чтобы сделать покупки и заскочить в паб за кружкой гиннесса. С другой стороны, прогулка по пляжу показалась мне преждевременной, у меня еще будет на нее время. Итак, я отправилась к Эбби и Джеку. Не успела я выключить двигатель, как дверь распахнулась и они возникли на пороге. Я улыбнулась, засмеялась и зарыдала одновременно. И побежала к ним, чтобы не утомлять Эбби. Джек шагнул мне навстречу и, к моему изумлению, обнял своими огромными ручищами.

— Наконец-то наша маленькая француженка приехала!

— Джек... спасибо.

— Здесь умирающая я, так что оставь ее мне!

Взглядом Джек велел мне не реагировать на юмор жены. Он отпустил меня, и я смогла рассмотреть Эбби. Она как будто стала меньше, чем в моих воспоминаниях, похудела. Я догадалась, что она сделала все, чтобы скрыть следы болезни, — воспользовалась тональным кремом, маскирующим карандашом для черных кругов под глазами, румянами. Ее глаза по-прежнему оставались лукавыми и полными жизни. Она взяла меня за плечи, притянула к себе:

— Как приятно видеть тебя у нас! Уже больше года я жду твоего возвращения.

Я запретила себе ответить: "Я тоже".

Час спустя, разобрав чемодан и сложив вещи в комод в своей спальне, я вместе с Эбби готовила на кухне ужин. Уже то, что она не отказалась от моей помощи, как сделала бы это год назад, было очевидным свидетельством ее слабости. Джек курсировал между гостиной и кухней с кружкой гиннесса в руке. Эбби сидела на стуле и забрасывала меня вопросами о парижской жизни, о Феликсе — о нем у нее сохранились нежные воспоминания — и об Оливье. Я не могла оправиться от изумления — оказывается, Эдвард рассказал о нем. Как же он должен был измениться, чтобы сделать это! Я пошла на поводу у любопытства:

— Значит, в его жизни кто-то есть?

Эбби слабо улыбнулась:

— Да... некая персона занимает в ней достаточно места.

Меня охватила паника.

— Эбби, только не говори, что это...

Меня прервал взрыв хохота.

— Нет, она больше ни разу сюда не приезжала. Можешь быть спокойна... А вот появление упомянутой персоны весьма украсило нашу жизнь, сама увидишь. Вы непременно познакомитесь.

Благодарю тебя, Господи! Какое счастье, что у меня есть Оливье — если бы я оставалась одна, как бы я перенесла знакомство с подругой Эдварда, тем более что, как я поняла, это милая девушка, которой все симпатизируют.

За обедом я узнала новости о тех обитателях деревни, которых помнила. Впрочем, я помнила всех. Эбби сообщила, что Джудит приедет на выходные и что она в лучшей своей форме. Да, нелегкие минуты ждут меня! Я взялась за посуду и запретила Эбби и Джеку чем-либо заниматься. Пусть они отдохнут, пока я здесь. Хоть такую мелочь сделать для них! Я ориентировалась у них, как если бы это был дом бабушки с дедушкой, где я ребенком проводила каждые каникулы. Закончив с хозяйством, я вышла покурить и присела на крыльцо. Вдалеке был слышен шум моря, плеск волн. Я расслабилась, глубоко дышала, мое тело напоминало мне мягкий пластилин. Джек присоединился через несколько минут, закуривая сигару.

— Эбби пошла прилечь, — сообщил он.

— Надеюсь, я не очень ее утомила.

— Учитывая твои хлопоты по дому, утомить ее тебе не грозит! Лучшего подарка ты ей не могла сделать. Она с трудом утешилась после твоего отъезда.

— Мне очень жаль...

— Не надо ни о чем жалеть, она такая, как есть, ей нужно, чтобы все, кто ей дорог, всегда оставались рядом, как если бы вы были ее детьми. Я лишь надеюсь, что ты не заставляла себя приехать ради нее.

— Вовсе нет... У меня были некоторые опасения, сознаюсь... но с тех пор, как я здесь, я знаю, что приняла единственно верное решение.

Мне было тепло и уютно под одеялом в выделенной мне гигантской кровати. Я только что повесила трубку, поговорив с Оливье, и у меня потеплело на душе от общения с ним, а также от соприкосновения с парижской жизнью. Я привязана к этой стране гораздо больше, чем готова была признать. Я уже собралась погасить лампу, когда услышала стук в дверь. С изумлением я увидела на пороге Эбби, кутающуюся в халат.

— Думала, ты спишь...

— У меня бывает бессонница... и я хотела узнать, удобно ли ты устроилась.

— Нужно быть очень уж капризной, чтобы найти тут неудобства.

Она подошла к кровати, села, взяла мои руки в свои:

— Ты сияешь, Диана.

— Спасибо.

— Будем с тобой наверстывать упущенное?

— Да.

— Знала бы ты, как я рада, что ты несколько дней пробудешь со мной... Моя вторая дочка вернулась домой.

Волнение лишило меня дара речи.

— Ложись.

Она встала с постели, я снова улеглась. Она подоткнула одеяло и поцеловала меня в лоб:

— Доброй ночи, доченька.

Я спокойно уснула.

На следующий день Эбби предложила прогуляться с ней по пляжу. Чтобы она не устала, Джек подвез нас и высадил из машины неподалеку. Мы шли с ней под руку, мелкими шажками. Рука Эбби, лежащая на моей, успокаивала ее дрожь. Я смотрела перед собой и видела только свой коттедж. В этом доме мне казалось, что я вот-вот умру от горя. Но в конце концов эти стены сделали меня такой, какая я сейчас.

— После твоего отъезда в нем никто не жил.

— Почему?

— Он твой... Я захватила ключи, хочешь зайти?

— Нет, не хочу ворошить прошлое.

— Я тебя понимаю.

Мы продолжили прогулку по пляжу, хоть на нас и упало несколько капель дождя. Но я доверяла метеорологической интуиции Джека, который заверил нас, что еще несколько часов дождя не будет. Мне нравился этот пляж, это море угрожающе-синего цвета, этот ветер, практически ни на минуту не стихающий. Здесь я оплакивала Колена и Клару, а еще смеялась, и узнавала настоящего Эдварда, и встретила Джудит. И здесь я каталась в песке, играя с собакой.

— У Эдварда все тот же пес?

— Он стал еще более буйным, если это возможно. Смотри-ка, вот он мчится.

Эбби отпустила мою руку и со смехом отступила на пару шагов в сторону. Лай наполнил меня восторгом. Сколько же времени я провела с Постманом Пэтом! Он мчался на всех парах. Я похлопала по коленям, подзывая его, и, как раньше, он прыгнул на меня и опрокинул на песок.

— Как поживаешь, собакин? — спросила я, а он в ответ принялся облизывать мне лицо.

— Он узнал тебя, — сказала Эбби.

— Невероятно!

Я кое-как отбилась от него, поднялась и бросила палку в глубь пляжа, а сама при этом задумалась, где же его хозяин.

— Эдвард теперь отпускает пса одного?

— Нет, он, наверное, с Декланом.

— А кто это, Деклан?

Эбби не успела ответить: за спиной раздался детский голосок, громко окликающий ее. Я обернулась и непроизвольно отпрянула, увидев маленького мальчика, который мчался к нам, точнее, к Эбби. Он бросился к ней и уткнулся носом в ее живот. В горле у меня образовался комок, появление ребенка нанесло удар по свиданию с пляжем, оно угрожало моему душевному спокойствию.

— Эбби!

— Да, Диана?

— Чей это ребенок?

Было видно, что она чувствует себя неловко, а это с ней случалось не часто, и потому мои опасения только усилились.

— Так чей он все-таки?

— Мой, — услышала я за спиной голос Эдварда.

Я резко обернулась. Он стоял меньше чем в метре и глядел на меня в упор. Я всмотрелась в обоих: сходство было поразительным. Этот малыш, несомненно, вырастет крепким парнем. А пока он представлял собой уменьшенную копию Эдварда: взъерошенные темно-пепельные волосы, жесткие и гордые черты лица, озаренные у него улыбкой. Ребенку было не больше пяти лет. От мысленных подсчетов меня отвлекла маленькая ручка, дергающая за пальто.

— Как тебя зовут?

Я была не в силах ответить и поймала его взгляд — такой же пристальный и испытующий, как у...

— Деклан, позволь представить тебе друга нашей семьи. Это Диана, — ответила малышу Эбби. — Давай оставим их с папой вдвоем, пусть поговорят, ладно?

Он пожал плечами, как бы желая показать, что ему на все наплевать.

— Эдвард, приходите оба к нам на ужин, — предложила Эбби. — Я забираю Деклана.

— Ты не будешь возвращаться пешком. Идите в машину.

— Не думаю, что твой сын должен слышать ваш разговор.

— Я подвезу вас, а потом вернусь к Диане.

Моего мнения никто не спрашивал. Как в старые добрые времена! Эдвард свистом подозвал собаку, молча сделал знак сыну следовать за ним и направился к автомобилю, припаркованному возле дома. Эбби подошла ко мне.

— Поможешь дойти? — спросила она, беря меня за руку.

На самом деле скорее я за нее цеплялась, чем она за меня. Я смотрела под ноги, не в силах поднять глаза и наблюдать за семейной сценой: Эдвард, шагающий по направлению к дому с сыном и собакой.

— Не будь слишком строгой с ним, девочка, — сказала она, садясь в машину.

Тут подошел Эдвард, и я сделала шаг назад, исподлобья поглядывая на него.

— Подождешь у меня дома?

— Больше ты ничего не хочешь?

— Не начинай, пожалуйста…

Я узнала этот резкий тон, взбесилась, но сдержала себя из уважения к Эбби. Отвернулась и направилась к пляжу.

В течение четверти часа я не находила себе места, бросала камешки в воду и курила сигарету за сигаретой. Оказывается, он отец семейства! Такое я и представить не могла. Если бы он просто нашел женщину, это было бы нормально! И за это время она бы даже успела родить. Но сын… Отцовство Эдварда не вызывало никаких сомнений!.. Причем сын такого возраста! Почему он все время устраивает мне сюрпризы?!

Скрежет шин сообщил о его возвращении. Я еще больше напряглась и взорвалась, как только он подошел:

— Как ты мог скрыть от меня! У тебя сын! И ты мне ничего о нем не сказал? Это твой принцип — лгать и хранить в тайне самое важное в твоей жизни? Тогда ты утаил от меня свою девку! А теперь своего…

— Замолчи! По какому праву ты задаешь все эти вопросы? Ты уехала! Ни разу не позвонила! Ты заново построила свою жизнь!

Его атака заставила меня отступить. Он отвернулся, закурил. Я себя чувствовала неуютно: мои упреки вернулись ко мне же. Он был прав — я бросила его в тот самый момент, когда он был готов на многое ради меня. Но все равно я не могла остановиться, мне нужны были ответы.

— Ты знал о его существовании, когда я была здесь?

— Как тебе могла прийти в голову такая подлость? — Он снова повернулся лицом и вперил в меня мрачный взгляд.

— Не надейся, что тебе удастся легко выкрутиться. Я не намерена ждать приезда Джудит, чтобы разузнать все о твоей жизни. Эти времена позади. Или ты выкладываешь все, объясняешь, откуда он взялся, или...

— Или что?

— Я тут же уезжаю. Прямо сегодня вечером.

Мне не нравилось то, что я делала, но у меня не оставалось выбора. Он продолжал молчать.

— Если я сейчас уеду, хуже всего будет Эбби.

Он обхватил голову руками, взъерошил волосы и уставился на море.

— Я узнал о существовании Деклана чуть больше полугода назад. Здесь он живет последние четыре месяца.

Эдвард подошел к скалам, сел на камень. Я долго наблюдала за ним и только потом решилась к нему присоединиться. Ему было очень плохо, я видела это по тому, как он затягивался сигаретой. Если бы он мог ее проглотить, наверняка проглотил бы. Усталость, которую я заметила еще при нашей встрече в Париже, сочилась из всех его пор. Это была не просто усталость, а изнуренность, причем психическая изнуренность. На него давил груз, от которого никак не избавиться. Наши отношения изменились, но отчаяние Эдварда убивало меня, и я попросила его довериться мне. Для Эдварда это наверняка было серьезным испытанием. Я села рядом с ним, он искоса глянул на меня. Я подняла воротник и стала ждать, когда он начнет.

— Джудит не могла не рассказать тебе, что семь лет назад, после первого разрыва с Меган, я скрылся на Аранских островах.

— Да.

— Но она не знала, что до того, как сесть на корабль, я застрял в Голуэе. Много пил, чтобы забыть случившееся. С самого первого вечера у меня появилась подружка по загулу, которая топила в виски уж не знаю что. Можешь сама догадаться, чем все кончилось... Это продолжалось трое суток. Мы выбирались из постели, только чтобы пополнить запасы алкоголя. Утром третьего дня я открыл глаза и вспомнил, что у меня в машине заперта собака. Бедное существо... Тут я осознал, во что превращаюсь: в парня, который напивается и спит с кем попало, лишь бы отомстить бывшей подруге. Я был жалок, что на меня не похоже. Не прощаясь, я сел на корабль, на два месяца отгородился от мира на Аранских островах и забыл о той девушке. В лучшем случае я мог припомнить ее имя. А вот она была лишена возможности забыть меня.

Он остановился, чтобы закурить. Его чувству ответственности был нанесен серьезный удар.

— Вы живете вместе?

Он грустно улыбнулся:

— Она умерла.

У меня кровь застыла в жилах. Мне стало так жаль этого малыша.

— А как ты узнал о сыне? И сколько ему лет?

— Шесть… После твоего отъезда я много работал, чтобы… Да ладно… В общем, мое имя начало мелькать то тут, то там. Меня пригласили снимать регату в Голуэе. И вот однажды я схожу с корабля, а она меня ждет на причале. Она искала меня уже несколько месяцев. Я долго пытался ее узнать, но не из-за туманности собственных воспоминаний, а потому что она жутко изменилась: кожа да кости, изможденное лицо. Она уговорила меня пойти выпить и без предисловий сообщила, что обречена. Мне было жаль ее, но я не так чтобы понимал, чем могу ей помочь. Она сунула мне под нос фото Деклана. Не заболей она, я никогда бы не узнал, что у меня есть сын. Она сама растила его и никого ни о чем не просила. Когда ты мне позвонила, я только что получил результаты теста на отцовство и собирал вещи, чтобы ехать в Голуэй и оставаться с ней до конца.

Он встал и подошел к морю. Я совсем замерзла, но не потому, что температура упала, а из-за услышанного. Жизнь подарила ему нежеланного сына, лишившегося матери, а у меня она отняла дочь, сам смысл моего существования. Кларе было столько, сколько сейчас

Деклану, когда она ушла. Но я ему не завидовала. Как мальчик со всем справится? Одинокий человечек, травмированный бегством отца и смертью матери?

— Диана, нам пора. Джек и Эбби ужинают рано.

Я плелась к машине в десяти шагах за ним. Когда я садилась во внедорожник, у меня сжалось сердце. Помимо всякого хлама, который всегда валялся у Эдварда в кабине, теперь здесь появились детские вещи. Еще одно новшество — автомобиль меньше пах табаком. Мы доехали в минуту, он гнал машину так же, как раньше. Припарковавшись и выключив двигатель, Эдвард отодвинулся в глубину кресла, прикрыл веки и вздохнул.

— Эдвард... я...

— Не надо ничего говорить, ладно?

Он вышел из машины, я за ним. Открыв дверь в дом Эбби и Джека, мы услышали взрывы детского хохота, и у меня навернулись слезы. Я постаралась, чтобы никто их не заметил. Эдвард всего лишь погладил сына по волосам. Я сменила Эбби на кухне — хлопоты отвлекли меня от мыслей о ребенке, который неотрывно наблюдал за мной краем глаза.

Эбби сидела во главе стола, Джек рядом со мной, а напротив нас Эдвард с сыном. Ситуация представлялась мне абсолютно нелепой. Что я здесь делаю? Но мне оставалось только смириться. И слушать Деклана, болтающего без умолку. Тучи сгустились, когда он в качестве мишени выбрал меня:

— Ты где живешь, Диана? Что ты здесь делаешь?

Я оторвалась от тарелки, встретилась взглядом с Эдвардом и только потом посмотрела на его сына.

— Я приехала в гости к Эбби и Джеку, а живу в Париже.

— Это где ты был, папа?

Я вцепилась в край стола, когда услышала, как он произнес "папа".

— Да, Деклан, я там был.

— И ты там встречалась с папой, Диана?

— Немного.

— Значит, вы друзья?

Я молча молила Эдварда ответить.

— Диана дружит в основном с Джудит. А теперь хватит, кончай болтать и ешь.

Деклан нахмурился и поднял на отца взгляд, в котором страх смешивался с восхищением.

После ужина я кинулась убирать и мыть посуду. Вот только Деклан оказался хорошо воспитанным мальчиком и стал мне помогать. Я не хотела быть грубой, он не спросил и не сделал ничего плохого, но это было выше моих сил. Дети как собаки: чем меньше хочется с ними общаться, тем больше они к тебе липнут. К счастью, к нам присоединился Джек.

— Ты на сегодня уже достаточно потрудилась, так что иди перекури, — подмигнул он.

— Спасибо.

Я уже выходила, когда до меня донесся разговор Эбби с Эдвардом. Он получил заказ, и ему послезавтра нужно ехать работать, а забрать Деклана из школы некому. Эбби ничем не могла помочь, потому что на это время у нее было назначено длительное обследование в пятидесяти километрах от Малларанни. Эдвард успокоил ее с незнакомой мне мягкостью, сказав: "Не проблема". Я отошла от двери и подумала, что это не так.

Я решила позвонить Оливье, пока курю. К моему огромному удивлению, а заодно и удовольствию, он оставался весь вечер с Феликсом. Успокоившись насчет "Счастливых", я не удержалась и рассказала ему все, что узнала за день, и это его обеспокоило.

— Как ты справляешься?

— Нелегко, я такого не ожидала.

В трубке было слышно, как Феликс засыпал Оливье вопросами. Тот в конце концов сдался и начал все пересказывать. Феликс издал оскорбленный вопль и выхватил телефон у Оливье.

— Это шутка такая? У него есть мальчишка? Как подумаю, что он был готов жить с…

— Феликс! — заорала я в трубку, чтобы заставить его замолчать.

— Упсс! Ну и скотина, так поступить с матерью своего ребенка!

— Он не знал, Феликс, — встала я на защиту Эдварда, что меня смутило. — Ладно, а теперь отдай телефон Оливье.

Он недовольно заворчал, но мне было наплевать.

— Тебе там хорошо, несмотря на все это?

— Да, я счастлива, я рада возможности общаться с Эбби и Джеком, и Джудит скоро приедет, так что не волнуйся за меня.

— Я скучаю по тебе, Диана.

— Я тоже скучаю по тебе...

За моей спиной открылась входная дверь. Эдвард с сыном возвращались домой.

— Мне пора, — сказала я Оливье. — Целую.

— И я тебя.

Я повесила трубку. Эдвард наблюдал за мной, стиснув зубы. Деклан подошел ко мне:

— Мы еще увидимся?

— Не знаю...

— Было бы хорошо, поиграли бы с Постманом Пэтом.

— Деклан, оставь Диану в покое и садись в машину!

— Но...

— И никаких "но".

Отец и сын смотрели друг на друга с вызовом. Вопреки присущей ему жесткости, Эдвард выглядел растерянным.

— Какой ты злой, папа!

Он побежал к машине. Эдвард вздохнул:

— Извини, если он доставал тебя.

— Да вовсе нет, не волнуйся.

Искренность моей реакции удивила меня. Почему эти слова вырвались сами собой? Я действительно не хотела, чтобы Эдвард волновался? Пыталась защитить малыша?

— Спокойной ночи, — пожелал Эдвард.

— И тебе.

Он иронично ухмыльнулся, почему — я не поняла, и пошел к сыну, который дулся, уткнувшись лицом в стекло.

Ложась спать, я пребывала в полной растерянности. Беспомощность отца и сына трогала меня. Да, я окружила себя прочными защитными барьерами, и тем не менее не могла оставаться равнодушной к их положению. Маленький мальчик совсем недавно потерял мать и жил теперь с отцом, которого почти не знал. В другой ситуации я бы посмеялась, представив себе Эдварда в роли главы семейства, но теперь такой смех был неуместным. Эдвард наверняка изо всех сил старается поступать правильно, но у него отсутствует образец, которому он мог бы подражать, и его терзает чувство вины. Я заснула с мыслью, что сделать ничего не могу, но эта резкая перемена в его жизни еще долго будет бередить мне душу.

Глава шестая

Назавтра Эбби решила, что мне обязательно нужно подышать воздухом, и потребовала, чтобы мы с Джеком пошли гулять, пока она будет отдыхать после обеда. Ей не нужно было притворяться, будто она устала, — с утра она выглядела хуже, чем накануне.

— Я могу пройтись сама, — предложила я Джеку.

— Она все равно выставит меня за дверь, стоит тебе переступить порог! Да и вообще я с удовольствием разомну ноги в твоей компании.

Должна признать, что мне тоже нравилась идея провести время с ним вдвоем. Он проверил, удобно ли устроилась Эбби, есть ли у нее под рукой все необходимое, потом поцеловал ее в лоб и сделал мне знак следовать за ним. К моему удивлению, мы сели в машину. Джек доехал до коттеджей и остановился. Он задумал показать мне кусочек Дикого

Атлантического пути — дороги, идущей вдоль всего западного побережья Ирландии. Надо же: столько прожить здесь и ни разу не высунуть носа за пределы ближайших окрестностей!

— Держи!

Он вынул из багажника парку.

— Мы промокнем до нитки, — улыбнулся он.

— Два дня подряд без дождя — слишком хорошо, чтобы быть правдой!

Мы отправились в путь. Мне и в голову не приходило заговорить, настолько я была потрясена красотой пейзажа и сумасшедшими красками. Год назад я видела только зеленый цвет, тогда как здесь, оказывается, присутствует вся палитра: темно-красные тона торфяников с пятнышками мелких фиолетовых цветочков, страшноватый черный цвет гор, вздымающихся вдали, белые кляксы овец, глубокая и холодная синева моря, сверкание солнца на волнах. Каждый порыв ветра я принимала словно драгоценный подарок. Даже внезапно поливший дождь делал меня счастливой. Я натянула капюшон и продолжала идти вперед, не помышляя о том, чтобы где-нибудь укрыться. Я больше не была той жалкой трусихой, что прежде. Джек сцепил руки за спиной и постепенно приноровился к моему ритму, иначе мне трудно было бы угнаться за ним, вышагивающим длиннющими ножищами. Он не пытался завязать разговор. Я чувствовала, что он доволен, ему хорошо гулять со мной. Время от времени нам сигналили проезжающие автомобили, и он приветствовал водителя взмахом руки и широкой улыбкой.

— Вчера у тебя, наверное, был тот еще шок, — заговорил он минут через сорок пять.

— Слабо сказано...

— Я уже давно так не ругал Эдварда — за то, что он не предупредил тебя.

— Почему?

— Я не хотел, чтобы тебе показалось, будто мы действуем исподтишка. Боялся, что ты сразу уедешь и Эбби расстроится.

А мы ведь и впрямь оказались на волосок от ссоры.

— Выговор на него не подействовал, и он упорствовал в своей глупости. Жуткий упрямец!

— А то ты не знал! Но теперь все в порядке, честное слово.

— Что бы он ни сделал, ты в конце концов все ему прощаешь, — рассмеялся Джек.

Я тоже засмеялась, но не так весело. Потом он замолчал, развернулся и двинулся в обратную сторону.

Устроившись через час на сиденье автомобиля, я пыталась вспомнить, когда в последний раз проводила столько времени на воздухе — двухчасовые прогулки не в моей привычке. Тем не менее ноги не подвели, напротив, я чувствовала себя легкой и в самой лучшей форме. Я посмотрела в зеркало заднего вида: румяные щеки, глаза блестят, и пусть волосы влажные, вид у меня очень даже здоровый. Люди, живущие на берегу моря, хоть и в ирландском климате, всегда отлично выглядят. Достаточно взглянуть на здоровяка Джека. Если и дальше так пойдет, я вернусь с более ярким загаром, чем после южных каникул с Оливье. Я подумала: нашей прекрасной прогулке нужно достойное завершение.

— Как тебе идея пойти взбодриться?

— С превеликим удовольствием!

Четверть часа спустя мы уже стояли на парковке паба. Джек вышел из машины, не обратив внимания на то, что я не шелохнулась. Я всматривалась в фасад — вот еще одно место, которое пробуждало воспоминания и где хорошие моменты преобладали над плохими. Джек постучал в стекло, я открыла дверцу и выбралась наружу.

— Что, не слышишь зова гиннесса?

— Еще как слышу, но так странно вдруг снова оказаться здесь.

— Они сами себе не поверят, когда тебя увидят! Тебя все помнят!

— Думаешь, это хорошо?

Из-за Эдварда у меня в этом месте однажды случилась не слишком приятная история: я так напилась, что не держалась на ногах. Здесь же, в другой раз, я едва не подралась с одной гадиной. А еще танцевала на барной стойке... Короче, вряд ли я оставила по себе светлые воспоминания.

— Когда же ты наконец поймешь, моя маленькая француженка, что ты здесь у себя дома?

Джек толкнул дверь. Как только она открылась, в нос мне ударил аромат пива и дерева, гул приглушенных разговоров, напомнив о том чувстве умиротворения, которое можно здесь найти. Я шла к бару, до поры до времени прячась за широченной спиной Джека.

— Ну-ка, кого я тебе привел?! — обратился он к бармену, который постарел, но совсем не изменился.

— Быть не может!

Он обогнул стойку и сердечно расцеловал меня, ухватив за плечи. Я почувствовала себя совсем маленькой между двумя немолодыми гигантами!

— Значит, твой племянник наконец-то решился съездить и привезти ее! — закричал он, возвращаясь на свой пост.

— Диана приехала из-за Эбби.

— Фу-ты, какой же я дурак!

Джек послал мне огорченный взгляд.

— Все в порядке... — успокоила я его. — И в конце концов, не так уж он неправ: не встреть я в Париже Эдварда, меня бы здесь не было!

Он расхохотался. Я тоже. Вся деревня присутствовала при разнообразных поворотах наших с Эдвардом отношений. И у каждого на этот счет имелось собственное мнение.

Передо мной как бы сама собой возникла пинта гиннесса. Я любовалась его цветом, плотной маслянистой пеной, легким ароматом кофе, церемониалом наполнения кружки в два приема... Вот уже больше года я не пила гиннесс. В последний раз это было именно здесь. В жизни часто все идет по кругу. Раньше гиннесс напоминал мне о Колене, который признавал только это пиво. Из-за него-то я и приехала в Малларанни. Сегодня при виде золотистой арфы[1] я больше не вспоминала мужа, а думала об Ирландии, о Джеке, которому гиннесс заменял дневное чаепитие, об Эдварде, который, сам того не подозревая, вынудил меня его попробовать. Моя первая в жизни пинта вызвала настоящее потрясение, я поняла, что по незнанию лишала себя огромного удовольствия. Наши кружки стукнулись друг о друга. Джек подмигнул и стал наблюдать за тем, как я делаю первый глоток.

— До чего же вкусно!

— У нас получилось, — сказал он бармену. — Она теперь из наших!

Весь следующий час мы провели в беседах с разными людьми, которые меня узнавали. Они подходили спросить, что у меня новенького, и мы мило болтали о том о сем, о дожде — куда ж без него, — но и о лете тоже, потому что в этом году оно было погожим, о матчах регби и гэльского футбола в следующие выходные. А потом пришло время возвращаться к Эбби. Вечером меня сморило почти сразу после ужина — этот день по насыщенности стоил нескольких.

---

1 *Золотистая арфа* — логотип бренда "Гиннесс".

Назавтра Эбби и Джек уехали рано — Эбби предстояли визиты к врачам. Мне не хотелось оставаться одной в большом доме, и я решила воспользоваться свободным днем и поехать к острову Акилла, чтобы продолжить вчерашние открытия. Поэтому я последовала нашим с Джеком маршрутом и миновала коттеджи. Я с трудом удержалась, чтобы не заглянуть в них, и вместо этого поехала вдоль побережья, очарованная яростной мощью пейзажа и стихий. Несмотря на то что зрелище было захватывающим, ему не удавалось полностью завладеть моим вниманием и оно не доставляло мне такого жгучего удовольствия, как вчера. Я старалась контролировать свой разум, свои мысли... но потерпела сокрушительное поражение и в конце концов резко затормозила прямо на середине дороги.

— Ну ты меня достал! — завопила я, сидя в машине.

После чего вышла, хлопнув изо всех сил дверцей. Закурила и по лугу спустилась к морю. Стояла хорошая погода, волны разбивались о берег у моих ног, в моем распоряжении было несколько часов, чтобы вволю надышаться, как накануне, а я при этом думала только об одном. Это изумило и испугало меня... Я бегом вернулась к машине, развернулась и на бешеной скорости помчалась обратно в Малларанни, проклиная собственную глупость. Потом резко затормозила перед коттеджем и постучала в дверь. Увидев меня на пороге, Эдвард не сумел скрыть беспокойство:

— Что-то случилось? Эбби?

— Твой сегодняшний заказ? Это важно?

— Ты о чем?

— Я слышала твой разговор с Эбби позавчера вечером. Давай отвечай, и быстро, пока я не передумала.

— Важно.

— Когда у Деклана заканчиваются занятия?

— В пятнадцать тридцать.

— Я им займусь, поезжай. Дашь мне ключи от дома?

— Зайди на пару минут.

— Нет.

Он достал ключи из кармана и протянул мне.

— До встречи.

— Погоди, — сказал он, придерживая меня за руку.

Несколько долгих секунд мы смотрели друг другу в глаза.

— Спасибо.

— Не за что.

Я посвистела Постману Пэту и побежала с ним к пляжу. Через пять минут я услышала, как от дома, резко газуя, отъехал внедорожник Эдварда. Я не обернулась и бросила псу палку.

Пятнадцать тридцать наступило слишком быстро. Я пропустила обед — опасалась, что стошнит. Поэтому я только приоткрыла дверь, впустила Эдвардову собаку и заперла коттедж. Так я вроде бы отдаляла свое возвращение в этот дом. Я пешком отправилась в школу, куря сигарету за сигаретой и награждая себя всякими нелестными эпитетами. Как мне такое пришло в голову? Я же твердо знаю, что сейчас не переношу детей. Они меня пугают, повергают в ступор, напоминают о Кларе. Эдвард ни о чем не просил, и я ему ничего не должна. Почему я решила помочь, оказать ему услугу? Конечно, он по-прежнему кое-что значит для меня, и так будет всегда, это факт, не подлежащий сомнению, но в то же время не повод создавать угрозу своему внутреннему спокойствию! Может, у меня нездоровый интерес к этому мальчику, потому что его боль и горе отчасти сродни моим собственным: он потерял мать, я — дочь. Последний окурок я отшвырнула в нескольких метрах от школы. У входа меня ждал кошмар в чистом виде — сияющие мамаши, покачивая коляски, караулили своих старшеньких. Некоторые знали меня в лицо, и сегодня я вызывала такое же любопытство, как тогда. Они меня рассматривали и шепотом обменивались впечатлениями и сплетнями. Мне хотелось крикнуть им: "Леди, я вернулась!" А потом прозвенел звонок, и они перестали для меня существовать. Из школы выбежала туча детишек. Среди них могла со смехом мчаться Клара, только на ней бы не было формы, как на маленьких ирландках, которые носились во всех направлениях, высматривая мам. Воспоминания сжигали меня изнутри, я слышала, как она меня зовет: "Мама, мама, вот ты где!" Я видела ее, небрежно одетую, с взлохмаченными волосами, пятнами краски на руках и щеках, слышала ее щебет, ощущала запах детского пота...

— Диана, Диана, ты здесь!

Деклан врезался в меня, с ходу прервав мои сны наяву.

— Учительница сказала, что меня заберешь ты. Супер!

— Давай сюда рюкзак.

— Папа никогда его не берет.

И почему это я не удивилась?

— Ну а я понесу.

Он снял рюкзак с плеч и отдал мне. Мы покинули школьный двор, на выходе он взял меня за руку и издали помахал одноклассникам.

Он был так горд! По дороге домой он молчал, наверняка ожидая, что я заговорю первая. Я решила не показывать свои чувства, ведь он ни в чем не виноват, я сама поставила себя в такое положение. Теперь придется расхлебывать, и не важно, какими будут последствия.

— Ну, как там, в школе?

Декланово личико сияло счастьем, он с энтузиазмом пустился в рассказ о сегодняшних занятиях. Продолжал болтать без умолку, когда мы вошли в дом, швырнул пальто — такой же неряха, как отец, — и помчался в гостиную. Все так же щебеча, принялся играть с псом. Он не заметил, как я на мгновение застыла на пороге. Я вернулась в этот коттедж, в интимный мир Эдварда. За пару секунд я успела заметить две главные перемены: исчезли переполненные пепельницы с высыпающимися из них окурками и фотография Меган на пляже. С другой стороны, никто бы не догадался, что здесь живет ребенок: ни одной игрушки, ни следа рисунков фломастерами. Сразу ясно: Эдвард понятия не имеет, что нужно сыну, — неопровержимые доказательства перед глазами. Мое сердце заныло от жалости к обоим. Я сняла куртку, повесила ее на вешалку в прихожей, потом направилась за кухонную стойку, за которой столько раз видела Эдварда.

— Хочешь пополдничать, Деклан?

— Еще бы!

Без особой надежды на успех я исследовала шкафчики в поисках нормального полдника, думая, что, возможно, поторопилась с предложением. Умею я сглазить. В конце концов мне все же удалось приготовить ему горячий шоколад и найти печенье. Я наблюдала, как он с аппетитом его поглощает, и боролась с картинками, которые всплывали в мозгу и накладывались на реальность. Деклан на высоком табурете у кухонной стойки в доме своего отца — и Клара на высоком табурете у барной стойки "Счастливых людей". Я пыталась успокоиться, убеждая себя, что сходство на этом и заканчивается. У Деклана больше нет мамы, а у Клары есть. И ее мама кормит полдником другого ребенка, совершенно ей чужого.

— Хочешь на пляж? — предложила я.

— С Постманом Пэтом?

— Конечно. Уроки заданы?

Он помрачнел.

— Сделаешь, и пойдем?

Он кивнул. Я пошла за рюкзаком, а потом устроилась рядом с ним у той же кухонной стойки. Он учился в классе, который соответствует нашему подготовительному, так что я, наверное, справлюсь. Клара не успела получить задания. Я заглянула в его тетрадь. Ему нужно было прочесть и разобрать страницу книги. Учитывая мой акцент, придется поднапрячься. Я положила книгу между нами, и он приступил к чтению. Его внимание и концентрация удивили меня; Клара не была такой дисциплинированной. Когда он закончил, я, естественно, велела ему пойти переодеться перед выходом. Он спрыгнул с табурета и пристально посмотрел на меня.

— Тебе помочь?

— Нет.

— Какие-то проблемы?

Он покачал головой и помчался по лестнице.

На пляже я издали следила за бурными играми Деклана с собакой. И беспрерывно задавала себе вопросы. Почему мне удается заниматься этим ребенком, не впадая в отчаяние? Может, заботясь о сыне, я тем самым ищу прощения у отца за то, что бросила его? Или просто знаю, что уеду через несколько дней и все это не будет иметь никаких последствий для моей жизни? Значит, между нами не возникнет эмоциональных связей.

Поскольку я не имела ни малейшего представления о том, когда вернется Эдвард, я отправила Деклана в душ, как только мы пришли с прогулки. Он поднялся на второй этаж, не споря и не торгуясь. Я подождала минут пятнадцать и решила проверить, как у него дела. Этот коридор, эта ванная... Я постучалась:

— Все в порядке?

— С папой я моюсь сам.

Этому маленькому человечку ничего не оставалось, кроме как справляться со всем самостоятельно, ни от кого не ожидая помощи.

— Ты разрешаешь мне зайти в твою спальню?

— Да.

На пороге я грустно улыбнулась. Эдвард делал попытки: здесь имелись игрушки — маленькие машинки, поезд, несколько деталей "Лего", мягкие зверюшки, разбросанные на неубранной постели. Но стены оставались голыми и унылыми. Половина вещей была свалена в полуоткрытые ящики комода, остальные так и не успели вынуть из чемоданов. Мое внимание привлекло кресло в углу комнаты. Вошел Деклан в пижамной куртке, надетой наизнанку, и с мокрыми волосами.

— Стой на месте, — велела я.

Из ванной я вернулась с полотенцем. Он ждал меня в центре спальни, улыбаясь во весь рот, в его взгляде сквозила робость. Я энергично вытерла ему волосы, переодела пижаму. В красивых глазах Деклана светилось некое послание, но я запретила себе читать его.

— Вот теперь ты идеально выглядишь.

Он обнял меня за талию, приник лицом к животу и крепко сжал. У меня перехватило дыхание, я уставилась в потолок и стояла с бессильно опущенными руками. Вдруг он отпустил меня и стал играть со своими машинками, смеясь и рассказывая сам себе какие-то истории, словно к нему вернулась радость жизни.

— Я выйду на пять минут, хочу покурить на улице.

— Как папа, — ответил он и перестал обращать на меня внимание.

Я сбежала по лестнице, схватила сигареты и вышла на террасу. Закурила и позвонила Оливье.

— Рада слышать тебя, — сказала я, как только он снял трубку.

— Я тоже. Все в порядке? Что у тебя с голосом?

— Нет, нет, честное слово, все хорошо.

Не стоит беспокоить его, сообщая, чем я занимаюсь.

— Расскажи мне о себе, о "Счастливых людях", Париже, Феликсе.

Он с увлечением исполнил мою просьбу. Понемногу он возвращал меня домой, к моей жизни. Я смогла сбежать от своих демонов, благодаря подаренному им глотку кислорода. Я скучала по "Счастливым", по эмоциональному равновесию, которое они мне давали. Доброта Оливье, его умиротворяющая простота... Но передышка оказалась короткой — в гостиную прибежал Деклан: явно испуганный, он искал меня.

— Я позвоню тебе завтра.

— С нетерпением жду тебя, Диана.

— Я тоже. Крепко целую.

Я вернулась в дом. Деклан встретил меня улыбкой и вздохом облегчения.

— Можно мне посмотреть телевизор?

— Почему бы и нет?

— А когда папа придет?

— Не знаю. Позвоним ему?

— Нет!

— Если хочешь, давай позвоним, не бойся. Папа поймет...

— Нет, я хочу телик.

Он вполне профессионально включил свои мультики. Судя по времени, пора было готовить ему ужин. Я возилась на кухне под взрывы его смеха, а у моих ног в ожидании, вдруг что-то перепадет, лежал Постман Пэт. Заметив, что улыбаюсь, я объяснила себе, что улыбка появляется непроизвольно, сама собой.

Сорок пять минут спустя мы поужинали — я присоединилась к Деклану, — посуда была помыта, время приближалось к девяти, а Эдвард по-прежнему не подавал признаков жизни. Деклан сидел на диване и смотрел мультфильмы.

— Пора спать, — сообщила я.

Он съежился:

— Ой...

Деклан выбрался из подушек, покорно выключил телевизор. Радость жизни исчезла с его лица, он весь сгорбился и сжался.

— Я провожу тебя в спальню.

Он кивнул. Наверху без напоминания отправился чистить зубы. Я зажгла ночник на прикроватном столике, поправила одеяло. Вернувшись из ванной, Деклан нагнулся, заглянул под матрас и вытащил оттуда большой шарф. Не трудно догадаться, кому он раньше принадлежал. Потом Деклан лег.

— Оставить свет?

— Да, — ответил он совсем тоненьким голоском.

— Спи спокойно.

Не успела я сделать и двух шагов, как услышала первые всхлипы:

— Посиди со мной.

Именно это пугало меня больше всего. Сначала я стала на колени поближе к подушке, он, прижимая к груди материнский шарф, высунул из-под одеяла искаженное горем, тоской и болью личико с полными слез глазами. Я осторожно протянула руку, пристально следя за ней и пытаясь дать оценку своему жесту. Погладила его по волосам. Когда я прикоснулась к нему, он на мгновение опустил, а потом снова распахнул ресницы, и на его лице я прочитала мольбу сделать что-нибудь, чтобы уменьшить его страдания. Я задала себе вопрос, единственный и запретный: как бы я себя вела, будь на его месте Клара? Мысленно я умоляла дочку простить мне предательство, ведь именно это я должна была когда-то сделать для нее. А я отказала в такой малости ее маленькому мертвому тельцу, когда нужно было шепнуть, что все будет хорошо, что она поправится и я всегда буду рядом. Я легла возле Деклана, прижала его к себе, вдыхая ребячий запах. Он уткнулся мне под мышку, потерся о меня и горько заплакал. Много раз подряд он звал свою мать, а я только шептала "ш-ш, ш-ш!".

А потом звуки, пришедшие откуда-то издалека, сорвались с моих губ — колыбельная песенка, которую я пела Кларе, когда ей снились кошмары. Голос не дрожал, но слезы сами собой, помимо моей воли, катились по щекам. Мы вместе оплакивали одинаковую утрату. Оба мы находились в одном и том же месте: на дне глубокой пропасти, где тосковали по ушедшим. Понемногу всхлипывания Деклана утихли.

— Ты мама, Диана? — спросил он, судорожно втянув воздух.

— Почему ты спросил?

— Потому что так делала мама...

Дети обладают шестым чувством, позволяющим отыскать малейшую трещинку. Этот маленький мальчик доказывал мне, что на всех моих жестах, на всех словах лежит печать, выжженное каленым железом клеймо материнства, знак той, кем я была, хочу я того или нет.

— Я раньше была мамой...

— Почему раньше?

— Моя дочка, Клара... она ушла, как твоя мама.

— Ты думаешь, они теперь вместе?

— Может быть.

— Мама к ней добра, не беспокойся.

Я прижала его к себе и, безмолвно плача, баюкала.

— Можно еще раз песню?

Я снова спела колыбельную. Его дыхание успокоилось.

Прошел еще час, до того как я услышала открывающуюся входную дверь. Эдвард позвал меня, я ему не ответила, боясь разбудить Деклана, которого так и не выпустила из объятий. Он взлетел по лестнице, перепрыгивая через ступеньки, и застыл на пороге спальни. Облокотился о дверной косяк, сжал кулаки, сцепил челюсти. Эта сцена и ему показалась тягостной, он тоже страдал. Тут я поняла, зачем в комнате кресло: он проводил в нем ночи, чтобы не оставлять сына. Взглядом я приказала ему молчать и осторожно встала с кровати. Деклан слабо сопротивлялся во сне. Я придвинула шарф матери как можно ближе к его лицу и удержалась, чтобы не поцеловать его в лоб. Я уже сделала все, что надо. В полной растерянности я прошла мимо Эдварда. Он спустился вслед за мной в прихожую. Я надела куртку и открыла входную дверь. Когда он заговорил, я стояла к нему спиной.

— Извини, что так поздно. Собирался избавить тебя от этого, но не получилось.

— Мне пора.

— Спасибо за Деклана.

По-прежнему отвернувшись от него, я жестом отмела его благодарности.

— Диана, посмотри на меня.

— Нет.

Он осторожно взял меня за руку, повернул к себе и увидел мое залитое слезами лицо.

— Что произошло? Что с тобой стряслось?

Он собрался взять мое лицо в свои большие ладони, но я резко отстранилась.

— Не прикасайся ко мне, пожалуйста... Ничего, ничего не случилось. Деклан идеально вел себя.

Я добежала до машины и на полной скорости помчалась к Эбби и Джеку. Приехав, я долго сидела, уронив голову на руль. От детей, как мертвых, так и живых, слишком много страданий, слишком много печалей. Я была не в состоянии вынести боль Деклана, мне очень хотелось ему помочь, но это было выше моих сил, и я отказывалась предать Клару. Она решит, что я отступилась от нее еще раз. Я бросила ее, когда разрешила пойти в машину, и еще — когда не попрощалась с ней, и я не могла снова бросить ее, занявшись Декланом или любым другим ребенком. Не имела такого права.

Войдя в гостиную, я увидела Эбби в кресле-качалке. Она сидела в халате у камина. Эбби жестом подозвала меня, я подошла, спотыкаясь, и осела на пол, положив голову ей на колени. Она гладила меня по волосам, а я глядела в огонь.

— Мне нужна моя дочка, Эбби.

— Я знаю... Ты храбрая. Ты наверняка сделала много хорошего Деклану.

— Ему так больно.

— Как и тебе.

Прошло несколько минут.

— А ты, что говорят врачи?

— Я устала, угасаю потихоньку.

Я крепче сжала ее колени.

— Нет, только не ты... Ты не имеешь права нас покидать.

— Это нормально, что я ухожу, Диана. И потом я буду охранять их всех там, наверху. Не волнуйся, прошу тебя. А теперь поплачь, тебе станет легче.

Назавтра я решила провести весь день с Эбби и Джеком. Я ощущала потребность сосредоточиться на главной причине моего пребывания в Малларанни, а не на Деклане и его отце. Дни пролетали быстро, мне оставалось побыть с Эбби совсем недолго. Меньше чем через сутки приедет Джудит, а там не за горами и мой отъезд. Вчера Эбби изрядно устала, поэтому мы оставались дома. Ближе к вечеру Джек пошел прогуляться по пляжу — сидеть целый день взаперти было выше его сил, он не мог обходиться без свежего воздуха.

Мы вдвоем сидели в гостиной за чаем, когда она меня спросила:

— Какие у тебя планы?

— Ну... я пока не знаю... думаю, пусть все идет, как идет. Мне хорошо в моем кафе, я теперь его хозяйка...

— А что твой жених? — Она улыбнулась.

— Оливье мне не жених, Эбби.

— Ох, какие вы, нынешняя молодежь! Ты счастлива с ним? Он, по крайней мере, добр к тебе?

— Более доброго, более внимательного, чем он, трудно найти.

— Это хорошо... Надеюсь, Эдвард, как ты, найдет свое счастье...

Она пристально посмотрела на меня. Я знала, о чем она думает, и отказывалась продолжать этот разговор.

— Пожалуйста, Эбби...

— Не волнуйся, я не буду приставать к тебе. Просто мы так беспокоимся о нем и о Деклане. Эдвард очень страдал из-за утраты матери и из-за отвратительного поведения моего брата, его отца... И когда я вижу его сегодня... я знаю, что он забудет о себе ради сына, лишь бы избежать подобных ошибок.

— Он сильный, я уверена, он справится...

Ее глубокая привязанность к Эдварду и Джудит была такой же физической, как у матери к своим детям. Меня мучил один вопрос:

— У вас с Джеком не было собственных детей из-за того, что вы посвятили себя им?

— Нет... все это такая давняя история, однако...

Ее взгляд затуманился, в нем отразилась грусть.

— Мы потеряли двух младенцев. Мне не выпало счастье пожить с ними, но твои страдания из-за утраты дочки мне понятны...

Мои глаза наполнились слезами.

— Эбби, прости меня, не надо было...

— Ты все сделала правильно… У нас с тобой общая боль, и я знаю, что пора все рассказать. Раньше, когда ты здесь жила, было еще не время, но сегодня… Возможно, это как-то поможет тебе…

— Как ты смогла заниматься этими детьми? Не твоими?

— Было много крика и слез! Первое время я не позволяла себе становиться матерью Джудит, думала, останусь только ее тетей. И главное, не желала, чтобы считали, будто я ворую детей. Я не привязывалась к ней. Она мне облегчила задачу, поскольку была спокойным, даже слишком спокойным младенцем. Она не плакала, ничего не требовала, могла часами лежать в кроватке, не пискнув. Как подумаешь, какой она стала…

Она замолчала и рассмеялась. Я тоже. Представить себе Джудит тихоней и скромницей смахивало на чистое безумие.

— С Эдвардом все было по-другому… Он все встречал в штыки, вечно скандалил, все ломал…

Ничего неожиданного.

— Джек умел его приструнить, а я не реагировала — не хотела, чтобы он просил меня защитить его и сестру от Джека.

— А почему потом все изменилось?

— Мой чудесный Джек… Однажды вечером, после очередного безобразия, учиненного Эдвардом, он пригрозил, что отдаст их моему брату, их отцу, раз я не желаю возиться с ними. Этой ночью мы спали в разных постелях. Единственный раз за всю нашу совместную жизнь. И я поняла, что потеряю все — и мужа, и детей, потому что они, несмотря ни на что, были моими детьми, да. Бог послал их мне, и никому в голову не приходило считать меня воровкой...

— Ты потрясающая женщина...

— Не больше, чем любая другая... Когда-нибудь и у тебя получится.

— Не думаю...

— Жизнь все расставит по своим местам.

Весь вечер Эбби и Джек делились со мной воспоминаниями, перелистывая альбомы с фото. И я открывала для себя историю этой семьи.

Глава седьмая

Я услышала Джудит еще до того, как увидела ее.

— Где она, эта стерва? — закричала она, не успев войти.

— Мы тебя предупреждали, что она в отличной форме! — сказал Джек, с которым мы сидели в гостиной.

Я встала с дивана, чтобы присутствовать при ее выходе на сцену. Она меня заметила, вытянула в мою сторону указательный палец и только повторяла: "Ты, ты, ты!" Потом, не отрывая от меня пронизывающего взгляда, она запечатлела звучный поцелуй на щеке Джека, после чего рванула ко мне.

— Ты, паршивая маленькая... ты всего лишь... да черт тебя подери!

Она кинулась мне на шею, крепко прижала к себе.

— Ты у меня еще получишь, понимаешь, да?

— Я тоже по тебе скучала, Джудит.

Она меня отпустила, всхлипнула и взяла за плечи, чтобы внимательно разглядеть с ног до головы.

— Ты отлично выглядишь!

— А ты, как всегда, ослепительная!

— Поддерживаю легенду.

И это было действительно так. Джудит оставалась той же роскошной девушкой с огненной сексуальной притягательностью, какой я ее помнила, а ее шаловливый взгляд сшибал с ног самых стойких мужчин. Даже брат не мог не подчиняться ей. К нам присоединилась Эбби, обняла нас. Джудит ласково и заговорщически подмигнула мне.

— Ну вот, обе мои девочки со мной.

Мне было так неловко, что это не могло не бросаться в глаза.

— Расслабься, Диана. Эбби говорит чистую правду. К тому же ты была в двух шагах от того, чтобы стать моей сестрой...

А я и забыла, какими грозными эти двое становятся, стоит им объединиться. Мы хором расхохотались.

День продолжился в духе нашей встречи. Мы попеременно были на грани смеха и слез, и Джудит, не прекращая, подкалывала меня. Чтобы освободить Эбби от хлопот по хозяйству, мы поделили их между собой. Сама же Эбби выглядела помолодевшей лет на десять, за несколько часов исчезли все следы болезни: лицо разгладилась, вернулась бодрость, никакой подавленности. Нам с Джудит приходилось бороться, чтобы нас допустили к приготовлению ужина, потому что она чувствовала себя отлично. Этим вечером за столом будет на двух человек больше: придут Эдвард и Деклан. Я отказывалась думать об этом.

Значительная часть дня была посвящена кулинарии, и я прошла ускоренный курс ирландской кухни — научилась делать черный содовый хлеб и *irish stew*, настоящее ирландское рагу. И, стоя у плиты, я говорила себе: они правы, сейчас я действительно готовлю ужин вместе с матерью и сестрой. С сестрой, с которой мы дурачимся, словно нам по пятнадцать, и с нашей мамой, которая призывает нас к порядку. Джек несколько раз пытался проникнуть в наше дамское логово, но неизменно ретировался.

Джудит достала смартфон, чтобы увековечить момент. Эбби со смехом согласилась позировать, я присоединилась к ней. Джудит сделала множество селфи, запечатлевших нас троих. Я как раз корчила рожи, когда открылась дверь и вошли Эдвард с Декланом.

— Джудит! — завопил Деклан.

— Ага, вот и мой любимый соплячок! А как я тебя учила?!

— Здравствуй, тетя Джудит, — покорно ответил он, после чего повис у нее на шее.

Его слова вызвали у меня такой безумный смех, что я сложилась пополам. Так я не хохотала уже много лет.

— Кто-нибудь когда-нибудь видел такую Диану? — воскликнула Эбби, тоже хохоча.

— Это все Джудит! — удалось мне выговорить сквозь смех. — Сама без зазрения совести вытворяешь невесть что и при этом требуешь, чтобы тебя называли "тетя Джудит"?

— Слушай, я просто стараюсь держать марку.

Эдвард подошел ко мне. Ему тоже было весело. С тех пор как мы с ним встретились здесь во второй раз, я впервые увидела его спокойным и улыбающимся. Я предпочла отвести глаза. Мой взгляд упал на Деклана, который пристально смотрел на меня, по-прежнему вися на шее у Джудит. Он широко улыбнулся мне.

— Здравствуй, Деклан, — сказала я, держась в стороне.

— Ладно, детки, за работу! Девочки готовят, а Эдвард пусть сделает настоящие фото! — распорядилась Эбби.

Он уставился на нее, как на инопланетянку.

— Хоть раз используй свой талант на благо семьи. Доставь мне удовольствие.

— Только ради тебя, — проворчал он.

Эдвард отправился к двери, и тут его позвал Деклан:

— Папа, погоди!

Мы все повернулись к нему. Он извертелся в объятиях Джудит, пытаясь возвратиться на твердую землю. В конце концов она его отпустила.

— Можно я помогу тебе? — попросил он Эдварда, направляясь к нему.

— Пошли к машине.

Улыбка, которую Деклан послал отцу, была полна любви. Несколько минут спустя он ассистировал Эдварду, подавая нужную аппаратуру. Дурачества Джудит и вид счастливой Эбби избавили меня от дискомфорта, вызванного присутствием папы с сыном. Ну, или, по крайней мере, помогли как-то справиться с ним. К нам присоединился и Джек, который раздал всем кружки гиннесса. Он присел к столу и чокнулся с женой. Деклан со смехом вертелся рядом. Джудит прибрала, а я взялась за мытье посуды. Мы болтали без умолку — обо всем и ни о чем, просто радуясь тому, что вместе. Покончив с кастрюлями и мисками, я прислонилась к столу и стала прихлебывать пиво. В какой-то момент я поймала на себе взгляд Эдварда, и время для меня остановилось. Попробовала отвести глаза, но не смогла. О чем он думает? Я не могла разобраться даже в мыслях, клубившихся в моей собственной голове. И тут у него заходили желваки, и прозрачный шар, накрывший нас, лопнул. Эдвард отвернулся в поисках сына: Деклан смотрел не отрываясь на лежащий на буфете фотоаппарат отца словно на вожделенное сокровище.

— Не трогай, его легко сломать.

На лице мальчика отразилось разочарование. Оно усилилось, когда отец отправился прятать аппаратуру в машину, не попросив его помочь и не сказав никому ни слова. Эдварда долго не было, и Деклан, судя по всему, забеспокоился. Он неотрывно глядел на кухонную дверь, вздрагивал при любом шорохе, чувствовалось, что он натянут как струна. Когда он услышал, что отец возвратился в дом, его лицо разгладилось и улыбка вернулась.

Мы пошли к столу, и Деклан потребовал, чтобы я села рядом с ним. Мне не удалось придумать, как отказать ему. В конце концов, позавчера я и не такое вытерпела. Эдвард собрался отругать сына, но я его остановила.

— Все в порядке, — улыбнулась я.

За ужином нам было весело, мы были предупредительны друг к другу, словом, настоящий семейный вечер. Жизнь не пожалела никого за этим столом, а моим друзьям в последнее время было совсем тяжело из-за болезни Эбби. Но вопреки всему, они старались держаться, примириться с тем, что свалилось, радоваться маленьким моментам счастья. Такая вот смесь инстинкта самосохранения и фатализма. Они приняли меня вместе со всеми моими проблемами и продолжали оставаться со мной. Я одна из них, и мне хорошо с ними. С другой стороны, какая-то часть меня хотела, чтобы мне не было так легко и приятно — слишком трудным будет близящееся расставание. В Париже, чтобы продолжать жить, мне необходима уверенность в том, что с прошлым покончено. А когда я окажусь вдали от них, воспоминания о часах, проведенных вместе, будут разрывать мне сердце. Парадоксальный эффект встречи после долгой разлуки. Джудит прервала мои мысли:

— Рванем потом в паб?

— Как скажешь.

— Ни за что не упущу возможность зажечь с тобой! Но давай договоримся: ты не будешь устраивать то, что в прошлый раз.

— Если бы ты обошлась без напоминаний, я была бы тебе признательна.

Однако ее ехидная ухмылка подсказывала, что Джудит на этом не остановится. Она толкнула локтем Эдварда:

— Помнишь, братишка, как нам пришлось ее вытаскивать?

Он пробурчал что-то невнятное. Как и я, он все прекрасно помнил.

— Дети, рассказывайте, — вмешалась Эбби, сгорая от любопытства, словно ребенок.

— Диана на ногах не стояла, Эдвард начистил морду перцу, который заглядывался на нее. Потом ему пришлось положить Диану на плечо и вынести из паба. Можно было умереть со смеху: она размахивает руками, как ненормальная, и ругает его почем зря, а Эдвард глазом не моргнет и хранит железную невозмутимость.

Эбби и Джек внимательно посмотрели на нас, а потом расхохотались. Мы переглянулись, смутились для порядка, а затем присоединились к всеобщему смеху.

— А что такое начистить морду? — спросил Деклан.

— Подраться, — объяснила Джудит.

— Вау, папа, ты дрался?

— Если бы только один раз... — подключился Джек. — Твой папа, малыш, дрался уже в твоем возрасте.

— Зачем ты ему это рассказываешь? — возмутился Эдвард.

— Ты меня научишь, папа?

Отец и сын повернулись друг к другу. Впервые Эдвард окинул Деклана ласковым взглядом. Потом обратился к сестре:

— Отправляйтесь прямо сейчас, если хотите, а я здесь приберу.

Он встал, погладил сына по волосам и попросил помочь убрать со стола. Это было сильнее меня: я следила за ними, пока они не скрылись на кухне. Джудит откашлялась:

— К безумствам готова?

— А то!

Мы по очереди обняли Эбби и Джека, а они горячо поблагодарили нас за прекрасный вечер. Эдвард и Деклан вышли из кухни, Джудит подошла к ним и поцеловала, а я просто помахала.

— Будьте осторожны, — призвал нас Эдвард.

— Тебе не придется драться, гарантирую, — усмехнулась я.

И в тот же момент пожалела о сказанном.

Мы влетели в паб вприпрыжку и со смехом. Оказавшись внутри, я не удержалась от мысли вслух:

— Как же здесь хорошо!

— Я знала, что ты вернешься, — поддразнила меня Джудит.

Бармен за стойкой поднял руку, приветствуя нас. Мы подошли. Мест не было, но проблема решилась в мгновение ока: он просто предложил двум клиентам освободить для нас табуреты. Ни о чем не спрашивая, налил нам по пинте гиннесса. Здесь царила атмосфера, привычная для субботнего концерта. Выступавшая в пабе группа, к всеобщей радости, играла знакомые всем шлягеры. Мы повернулись лицом к залу и присоединились к остальным посетителям, распевавшим во все горло. Я снова оказалась в обстановке, которая так мне нравилась... и которой я недостаточно насладилась в прошлом году.

— Я должна задать тебе суперважный вопрос, — сказала вдруг Джудит.

— Давай.

— А что, Феликс по-прежнему гей?

Я подавилась смехом.

— Еще больше, — удалось мне в конце концов выговорить.

— Вот блин! Это же мужчина моей жизни! Ты хоть понимаешь?

Она сжала мою руку, мы снова повернулись к бару, и она заказала нам по третьей пинте, а может, и по четвертой — я начала сбиваться со счета. В ближайшие четверть часа меня удостоили рассказа о последних приключениях Джудит-Влюбляющейся-Каждый-День. Но тут звонок телефона прервал нашу беседу. Оливье.

— Подожди минутку, — попросила я, а потом извинилась перед Джудит.

Она мило усмехнулась и качнула головой в сторону курилки на улице. Я прихватила сигареты, пересекла паб вместе с последовавшей за мной Джудит, которая тут же принялась болтать с другими курильщиками.

— Все в порядке! Я тебя слушаю.

— А ты где? У тебя там такой шум!

— В пабе, вместе с Джудит. Здесь, как всегда по субботам, концерт.

— Наконец-то встретилась с подругой?

— Да, и мы прекрасно провели время. Эбби счастлива, в общем, все потрясающе!

— Тебе там хорошо...

Меня кольнуло чувство вины, я так радовалась встрече и общению с Джудит, что забыла сегодня позвонить.

— Ты прав... А что слышно у тебя?

— Спасибо, все в полном порядке. Я себя чувствую как дома и, честно говоря, с удовольствием бездельничаю. Не буду тебя отрывать...

— Да ты меня ни от чего не отрываешь, глупый!

— Продолжай веселиться. Я просто хотел узнать, все ли у тебя нормально. И узнал. Крепко тебя целую.

— И я тебя. До завтра, обязательно завтра позвоню, обещаю.

Джудит наверняка послеживала за мной, потому что подошла, стоило мне положить телефон в карман.

— Ну и как там твой парень?

— Отлично. Пошли обратно?

Поскольку мы были почетными гостьями, никто не покусился на наши места у стойки. Но Джудит так легко не собьешь, поэтому, едва усевшись, она продолжила:

— У вас это серьезно?

— Не знаю, мне кажется… да… действительно, это серьезно…

— А как же мой брат?

— В смысле?

— Ты его больше не любишь? И не пытайся меня убедить, что ты его и раньше не любила, все равно не поверю.

— Ох, Джудит, пожалуйста…

— Нам все равно не избежать этого разговора!

Я вздохнула.

— Тогда я не была готова, раньше или позже я принесла бы ему еще больше боли, если бы осталась.

— А теперь?

— Теперь прошло больше года. Я заново начала жизнь в Париже, у себя дома, и я встретила человека, с которым мне хорошо.

— Понимаю, рада за тебя.

Она одним глотком допила кружку и заказала следующие. Не забыв при этом бросить на меня косой взгляд.

— Что ты хотела сказать?

— У тебя, наверное, все равно странные ощущения от новой встречи с ним?

— Не спорю... Но, Джудит, должна тебя сразу остановить... Не придумывай того, чего нет...

— О'кей, о'кей! И все-таки... не поверю, что ты не сгораешь от любопытства и не хочешь узнать побольше...

— Ты права... Я беспокоюсь за него...

— Не ты одна!

— Почему-то я так и думала...

— Он заслуживает лучшего, чем быть прикованным к сыну! Как он теперь выстроит свою жизнь заново?!

— Появление Деклана напрягает тебя?

— Нет, конечно. Как не полюбить этого малыша! Мне просто надоело наблюдать за тем, как на моего брата сваливается очередная напасть. Облом за обломом! Это не упрек, Диана... но после твоего отъезда он вконец извелся...

Я опустила голову. Яркой вспышкой у меня перед глазами возникла сцена: вот я сообщаю Эдварду, что покидаю его. Как же я заставила его страдать!

— Он с головой погрузился в работу, все время где-то болтался, избегал Малларанни и всего, что могло напомнить ему о тебе. Вообще-то нет худа без добра: в тот период в его творчестве произошел настоящий прорыв. Как вдруг, трах-тибидох, он снова случайно встречает эту девку! И первая его реакция — я виноват во всем, что случилось. Ну, ты же знаешь его принципы. К счастью, мать Деклана оказалась хорошим человеком, серьезным, понимающим. Она никогда не злилась на Эдварда за его отъезд и помогла ему избавиться от чувства вины, приручила его, убедилась, что может доверить ему сына.

— Как ее не понять, она же, в конце концов, вообще его не знала!

Я сделала большой глоток пива и вздохнула:

— А сейчас? Что он думает по поводу ситуации, в которую попал?

— Диана, ты действительно витаешь в облаках или притворяешься? Думаешь, он будет изливать душу?

Я не сумела сдержать смех.

— Вот видишь, ты и впрямь любопытная! — продолжила Джудит, тоже расхохотавшись.

— Ты, как всегда, права! Довольна?

— Еще как! Слушай, могу только сказать, что, получив результаты теста на отцовство, он слетел с катушек. Много лет не видела его в таком состоянии.

— То есть?

— Нажрался в стельку и заперся дома. Непонятно, как он вообще не откинул копыта. Чтобы попасть внутрь, мне пришлось залезть в окно. А потом часами выслушивать его бред. И чего там только не было: наш отец, гадина Меган, болезнь Эбби, и ты — вдоль, и поперек, и по диагонали! И это при том, что уже прошло полгода с твоего отъезда и никто с тех пор не мог произнести твое имя, не рискуя спровоцировать ядерную войну. Он говорил о твоих звонках, сообщениях...

Я на мгновение отвлеклась на подсчеты: да, по времени это соответствовало моим попыткам связаться с ним...

— А что теперь? — спросила я.

— Благодаря сыну Эдвард ожил, и он наверняка посвятит ему жизнь... Любит его, как безумный, но никогда не перестанет грызть себя за то, что сделал ребенка нелюбимой женщине.

— Если бы я могла хоть чем-то помочь ему...

— Хочешь пожалеть его?!

— Я вовсе не это имела в виду...

Она криво усмехнулась:

— Да знаю я, просто подкалываю... Что бы ты ни говорила, между вами всегда что-то будет, тут уж ничего не попишешь. Вы сделали выбор — каждый свой. У тебя есть парень. У него — сын, и ему достаточно. Но, как по мне, вам было бы полезно все обсудить... Ладно, налей нам еще по кружке!

Новая пинта. Джудит повзрослела, стала гораздо более ответственной и проницательной. Что не помешало ей увлечь меня в безумные пляски под ирландские народные мелодии.

Паб вот-вот закроется. К счастью, отсюда до дома Эбби и Джека не больше пяти минут пешком. Обе одинаково поддатые, мы проделали этот путь под ручку. И тут я в две секунды протрезвела, увидев, что машина Эдварда по-прежнему у входа.

— Хрена ли он тут делает? — завопила Джудит и, вспомнив о своем легендарном умении соблюдать приличия, с трудом сдержала отрыжку.

Мы на цыпочках направились в гостиную. На маленьком столике горел ночник. Через минуту я разглядела Эдварда: он сидел на диване со стаканом в руке, закинув ноги на низкий столик. Другая рука лежала на спине сына, который спал на коленях у отца.

— Почему ты еще здесь? — спросила Джудит.

Он не потрудился повернуться к нам, но ответил:

— Когда Деклан понял, что больше вас сегодня не увидит, у него случился очередной приступ паники. Пришлось разрешить ему остаться и дождаться вас. Это был единственный способ успокоить его. В конце концов он уснул.

— Позвонил бы, — сказала я, подходя к дивану.

— Спасибо, Диана, но я не хотел портить вам вечер.

Джудит стала на колени рядом с ними и оценила количество виски в бутылке. Увидев, что его осталось на донышке, она подмигнула брату и грустно улыбнулась:

— Пусть он переночует у нас, я возьму его к себе. Иди домой и хоть раз нормально выспись. Завтра в полдень мы его привезем.

— Ты удивишься, но я не откажусь.

Джудит поднялась, Эдвард взял сына на руки и встал с дивана. Деклан вцепился в его шею:

— Папа?

— Джудит и Диана пришли, ты будешь спать в кровати Джудит.

Я наблюдала, как они втроем поднимаются по лестнице. Их жизнь была так далека от моей. Чтобы занять себя, я взяла стакан и бутылку и отнесла на кухню. Оперлась о раковину, набрала воды, выпила. Голос Эдварда заставил меня вздрогнуть:

— Я ухожу.

Я обернулась, он бросил мне через всю кухню сигаретную пачку. У него самого изо рта уже торчала сигарета. Я поняла и пошла за ним. На улице я вынула сигарету и вернула пачку Эдварду. Он пристально посмотрел мне в глаза и щелкнул зажигалкой, я потянулась к пламени, напоминая себе, что хорошо бы не обжечь крылья. Затем он сделал несколько шагов по саду и вернулся ко мне. Порылся в кармане и протянул мне ключи от машины. Я, не задумываясь, взяла их.

— Сможешь завтра привезти мне сына?

— Но ты же не собираешься идти пешком? До твоего дома не меньше получаса!

— Я слишком много выпил, не хочу садиться за руль... Мне полезно подышать воздухом.

Он снова долго изучал меня, и его взгляд был полон грусти. Впрочем, окрашенной яростью. Ничто и никогда не принесет ему умиротворение.

— Спокойной ночи, Диана.

— Будь осторожен.

Я следила за его удаляющейся фигурой, пока она не растворилась в ночи. Потом загасила окурок в пепельнице, вернулась в дом и заперла дверь на ключ. Взволнованная, растерянная, я поднялась на второй этаж. Спальня Джудит открылась, и она появилась на пороге.

— Спит? — шепотом спросила я.

— Как сурок. Он попросил тебя пригнать тачку, а еще что-нибудь сказал?

— Ничего.

— Я же говорила, вы должны обсудить…

— Спокойной ночи, Джудит.

Я скользнула под одеяло, понимая, что сон торопиться не станет. В моем воображении непрерывно всплывала фигура Эдварда, уходящего в темноту, не говоря уж о взгляде, который он на меня бросил. Джудит права: ниточка, связывающая нас, никогда не оборвется. Мы сами должны развязать ее и только тогда сможем двигаться вперед. Чем быстрее мы это сделаем, тем лучше.

Все выглядело так, будто единственная цель моей ирландской поездки — наконец-то узнать, что такое семья. Спустившись на кухню, я увидела Эбби в халате, она готовила нам традиционный ирландский завтрак. Витали ароматы бекона, яиц, поджаренных тостов. За столом собрались Джек, Джудит и Деклан. Ждали только меня. И все-таки что-то было не так, это ощущение было почти осязаемым.

— Подожди, я помогу тебе, — предложила я Эбби.

— Нет, деточка, я не инвалид!

— Не трудись, меня она уже послала, — сообщила Джудит.

— Диана, — позвал Деклан рыдающим голосом.

Я пригляделась к нему внимательнее, и отчаяние на его лице сжало мне сердце. Он встал из-за стола и подошел ближе. Не задумываясь, я присела на корточки рядом с ним:

— Что у тебя случилось?

— А когда папа вернется? Почему его здесь нет?

— Разве Джудит тебе не объяснила?

— Он нам не верит, — ответила за него Джудит.

— Деклан, твой папа дома, он устал и спит.

— Это правда?

— Слово даю.

Он прыгнул, сомкнул руки у меня на шее. Я затаила дыхание. Этот ребенок выталкивал меня за границы того, что я была в состоянии вынести. Но я же, в отличие от него, взрослая и обычно умею справляться со своими страхами. Во всяком случае, кажется, у меня это начало получаться, и теперь я смогу его поддержать.

— Посмотри на меня, Деклан.

Он чуть отодвинулся. Мне показалось, будто я встретила взгляд его отца. Я прогнала эту картинку и сконцентрировалась на ребенке, который был передо мной. Вытерла его мокрые щеки ладонями.

— Он никуда не делся. Мы поедем к нему после завтрака, годится?

Он кивнул.

— Садись за стол.

Он не задумываясь пересел поближе ко мне. На тарелках появилась еда, чашки наполнились. Деклан склонился над столом, сжавшись в комок.

— Все в порядке, я же тебе сказала. Положись на меня. А теперь ешь.

Пока мы с ним переговаривались, я не обращала внимания на то, что происходит вокруг, но чувствовала, что все внимательно наблюдают за нами. Эбби нежно улыбнулась мне. Я решила не реагировать и подцепила вилкой кусок яичницы.

Час спустя Джудит пустила меня за руль Эдвардова автомобиля. Я заметила его хозяина вместе с собакой на пляже и припарковалась. Эдвард курил. Деклан подскакивал от возбуждения на заднем сиденье, и Джудит быстро открыла ему дверцу. Он помчался как молния к отцу, который обернулся, услышав, что его зовут. Деклан подпрыгнул и очутился в его объятиях, Эдвард поднял его, прижал к себе. Потом поставил сына на песок, присел на корточки, взъерошил ему волосы и заговорил. Деклан бурно жестикулировал, что-то объясняя, а Постман Пэт с лаем носился вокруг них. Эдвард успокаивал пса и одновременно улыбался сыну самой своей настоящей и искренней улыбкой, он был счастлив, спокоен. Эта сцена взволновала меня, оба они были такие красивые и трогательные. Эдвард стал настоящим отцом, у меня не осталось сомнений. Он был неловким, застенчивым, но всей душой привязался к малышу. И в этот момент я чувствовала, что для него имеет значение только этот маленький мальчик. Как же хорошо я его понимала... И как же он измучился, если согласился оставить его у нас прошлой ночью. Расставание далось обоим одинаково тяжело. Я держалась чуть позади, чтобы скрыть навернувшиеся на глаза слезы, а Джудит присоединилась к ним. Брат с сестрой обнялись. Я медленно пошла к ним. Джудит умчалась вдоль пляжа, за ней тут же последовали Деклан и Постман Пэт. Трудно было с уверенностью сказать, кто из двоих ребенок — тетя или племянник. Я приблизилась к Эдварду и протянула ему ключи от машины. Судя по его лицу, чтобы восстановиться, одной ночи ему не хватило.

— Я ее тебе не сломала.

— Придется поверить. Пройдемся немного?

— Да.

Мы прошли больше ста метров, не произнеся ни слова, засунув руки в карманы. Вдали я слышала веселые крики Деклана и лай собаки.

— Иди сюда, отсюда лучше виден цирк, который устраивает Джудит.

Мы уселись на скале, нависшей над пляжем.

— Как понять, хорошо ли ему?

Я посмотрела на Эдварда, все его внимание сосредоточилось на сыне.

— Когда ты берешь его на руки, как сегодня утром, ему хорошо, потому что он знает, что у него есть отец. А когда он не может заснуть, потому что нет его матери, тогда ему очень плохо.

— Мне правда жаль, что тебе пришлось все это пережить.

— Забудь, не важно.

— Что ты ему тогда сказала? С тех пор как он со мной, это была первая ночь, которая прошла без кошмаров.

— Ничего особенного, просто рассказала о Кларе.

Мой голос дрогнул, руки, когда я закуривала, тряслись. Эдвард дал мне время прийти в себя, а потом продолжил:

— С тех пор как мы знакомы, ты единственная, кто не щадит меня, так что я на тебя рассчитываю. Скажи, что я делаю не так? Я хочу, чтобы ему было хорошо, чтобы он забыл, не хочу, чтобы он пришел к тому же, к чему и я.

Моя рука, словно действуя независимо от разума, сама собой потянулась к его ладони, взяла ее и крепко сжала.

— Он никогда не забудет, вбей это себе в голову. Маму, как и ребенка, забыть невозможно. Ты все делаешь правильно, просто ты еще учишься, вот и все. Вряд ли я могу тебе что-то посоветовать. Все родители ошибаются. Пройдет время, и вы привыкнете друг к другу, сблизитесь. Единственное, что мне известно, — для Деклана ты полубог и он в ужасе от мысли, что может тебя потерять. Я тебя знаю... ты не слишком разговорчив, но все же постарайся по возможности его успокоить. Проводи с ним больше времени... учи фотографии — когда ты держишь аппарат в руках, для него это как волшебство. По крайней мере, вчера я это заметила... И знаешь... если он придет к тому, к чему пришел ты, значит, ему повезло.

Я еще раз сжала, а потом отпустила его руку. Встала, сошла со скалы и вплотную приблизилась к кромке океана. Вдалеке я видела Джудит и Деклана, за спиной ощущала присутствие Эдварда. Я глубоко дышала. Ветер хлестал по лицу. Нет, не вернуться

мне из этой поездки невредимой, не стоит и наде-
яться.

— Когда ты уезжаешь? — Я не слышала его шагов,
и вдруг рядом раздался голос.

— Послезавтра.

— Мы зайдем к тебе попрощаться после школы.

— Если хочешь.

Он направился к Джудит с Декланом, я проводила его глазами и увидела, как он забирает сына
и собаку. Они сели в машину и тронулись в облаке
пыли. Рядом со мной возникла Джудит, закинула
руку мне на шею, положила голову на плечо:

— Все в порядке?

— Скорее да.

Остаток дня пролетел на бешеной скорости. Мы
с Джудит знали, что у нас мало времени. Она при-
бегла к лучшему средству от мрачного настроения —
смеху. За обедом у Эбби и Джека Джудит держала
публику, безостановочно рассказывая всякие ду-
рацкие истории. Когда пришло время возвращаться
в Дублин, я проводила ее до машины.

— Не будем ждать целый год, чтобы обменяться
новостями?

— Я бы очень хотела приехать к тебе в Париж, но
боюсь загадывать — сама понимаешь, Эбби... как бы
мне не нарушить обещание. Так что...

— Я буду звонить тебе и узнавать, как она, — ответила я. — Держи меня в курсе.

— Ну, это-то я смогу.

Броня Джудит дала трещину; она резко вздернула подбородок, но не сумела скрыть слезы. Я обняла ее.

— Все будет хорошо, ты справишься, — шепнула я ей на ухо.

— Какая же ты все-таки дрянь! Всякий раз доводишь меня до слез… Знаешь, не важно, с кем ты построишь свою жизнь… Все равно ты моя самая…

— Знаю… у меня так же…

Она отодвинулась, похлопала себя по щекам, вытянула вверх два больших пальца.

— Давай, Джудит, возьми себя в руки, ты уже не сопливая девчонка! — приказала она себе. — Надо ехать, значит, надо.

— Будь осторожна.

Она шутовски отдала честь, забралась в машину и умчалась.

Последний день я посвятила Эбби. Она попросила меня сделать ей маникюр и уложить волосы. Ее все еще волновало, как она выглядит, но она стеснялась обращаться с подобной просьбой к Джудит. И вот Эбби приметила, что я вновь обращаю внимание на свою внешность, и решила, что я вполне подхожу для этих процедур. Такое типично женское занятие еще больше сблизило нас. Мы расположились в спальне. На комодах стояли фотографии Эдварда и Джудит в детстве. В школьной форме оба выглядели забавно, и я улыбнулась, разглядывая снимки.

— Ты рада, что приехала повидать нас? — спросила Эбби.

Мы сидели на кровати, и я красила ей ногти.

— Еще как! Можешь быть уверена.

— А что Эдвард?

— Они придут попрощаться со мной после школы, то есть так он мне вчера сказал...

— И это все?

— Ну да...

Нас прервал Джек, он позвал меня. Деклан и его отец как раз приехали. Пора было прощаться с ними. Эбби пошла со мной, держась за меня, и я чувствовала на себе ее испытующий взгляд. Когда мы сошли вниз, она отпустила мою руку и села в кресло, переглянувшись с Джеком, что явно не сулило ничего хорошего.

— Привет, — только и сказала я Деклану и Эдварду.

Я избегала смотреть на отца и предпочла встретиться глазами с сыном, который подошел ко мне и поцеловал.

— Как сегодня в школе, все хорошо?

— Да!

— Иди сюда, дружок, я тебе кое-что покажу, — подозвал его Джек.

Деклан послушался. Мне ничего не оставалось, кроме как повернуться к Эдварду.

— Хорошего возвращения в Париж, — сухо сказал он.

— Спасибо.

— Жаль, что вам двоим не удалось пообщаться, — вставила свое слово Эбби.

— Она права! — тут же подхватил Джек. — Дети, не хотите ли пойти сегодня вечером в паб? Деклан может остаться у нас.

Мы переглянулись.

— Хочешь? — спросил Эдвард.

— Э-э-э... да, с удовольствием...

— Папа?

Мы не заметили, как Деклан снова подошел к нам.

— Ты уходишь, папа?

Плечи Эдварда опустились, он провел рукой по волосам сына, улыбнулся ему.

— Нет... не беспокойся, сейчас поедем домой... Диана, мне очень жаль... придется нам осуществить нашу затею как-нибудь в другой раз.

Мы оба знали, что этого не будет.

— Все нормально. Я понимаю.

— Или... Придешь к нам на ужин?

— О'кей...

Я инстинктивно посмотрела на Эбби и Джека, как если бы нуждалась в разрешении. В их взглядах, адресованных мне, я различила обычную мягкость и доброжелательность.

— Не отказывайся из-за нас.

— Ты придешь к нам на ужин? — с энтузиазмом воскликнул Деклан. — Скажи "да"!

Я заметила, какая нежность к сыну светится в глазах Эдварда. Она-то и заставила меня дрогнуть.

— Договорились, приду.

— До скорого, — сказал Эдвард. — Деклан, пошли?

Они поцеловали Эбби и Джека и уехали домой. Я долго неподвижно и молча стояла в центре гостиной.

— Иди сюда, девочка, — позвала Эбби, заставив меня вынырнуть из моих мечтаний.

Я плюхнулась на диван, она встала с кресла, подошла ко мне, взяла за руку.

— Что вы заставляете меня проделывать?! Ну и парочка! Настоящие интриганы!

Джек расхохотался.

— Во всем виновата она! — Он показал пальцем на жену.

— А ты чем лучше?! — парировала я с улыбкой. — И к чему это?

— Чтобы все расставить по своим местам, — ответила Эбби.

— Возможно, но это последний вечер, который мы с вами могли провести вместе.

Она похлопала меня по ладони.

— Диана, останься ты с нами, ты бы думала только о них, и в глубине души ты это понимаешь. А мы уже насладились твоим обществом... Не беспокойся... И потом, когда ты с ними, это почти как с нами... Им хорошо с тобой...

Я положила голову ей на плечо и почувствовала, что меня накрывает волна материнского тепла.

— Мне вас будет не хватать... ужасно... — прошептала я.

Джек, стоявший за диваном, отцовским жестом положил ладонь мне на голову.

— А нам тебя, наша маленькая француженка, но ты еще приедешь…

— Да…

Я теснее прижалась к Эбби.

Час спустя я прощалась с Эбби и Джеком, пообещав, что буду получать удовольствие и не стану беспокоиться о них. Подъехав к коттеджу, я решила перед встречей с Эдвардом и ребенком в последний раз прогуляться по пляжу. Мне хотелось перед отъездом пропитаться морем, пейзажем, ветром. Да и проветриться не помешает. Я не знала, что думать об этом стремительно приближающемся вечере. Ужин с Декланом и Эдвардом представлялся мне чем-то волнующим, я в некотором роде вторгалась в личную жизнь отца и сына и опасалась, как бы обыденные детали их совместного существования не поколебали мое спокойствие. Приходилось признать, что Эбби, Джудит и Джек правы, хотя и не высказывают эту мысль вслух, и нам необходимо вскрыть нарыв, чтобы по-настоящему перейти на новый уровень. Мы обязаны разорвать отношения, которым не суждено было начаться и которые теперь уже не начнутся никогда.

Поднимаясь к коттеджу, я получила эсэмэску от Оливье:

Хорошего последнего вечера в Ирландии. До завтра. Крепко целую тебя.

Спасибо... Хочу поскорее вернуться к тебе. Целую, —

ответила я, перед тем как постучать в дверь.

Дверь открыл широко улыбающийся Деклан в пижаме. Схватил меня за руку, потащил в гостиную. Я с трудом переставляла ноги. Постман Пэт тоже с восторгом приветствовал меня. Телевизор показывал детские мультики. В кухне Эдвард готовил за стойкой ужин. Он бросил на меня взгляд, но я не смогла угадать его настроение.

— Прощалась с пляжем?

— Да...

— Диана, пошли!

Деклан продолжал тянуть меня за руку.

— Сейчас, сейчас, дай мне пару минут.

Он пожал плечами и прыгнул на диван, где уже развалился пес. Я подошла к стойке, к Эдварду.

— Ты не был обязан приглашать меня.

— Ты когда-нибудь видела, чтобы я себя к чему-то принуждал? — парировал он, не глядя на меня.

— Я могу тебе помочь?

Он пристально посмотрел на меня.

— Можешь почитать книжку Деклану, пока я готовлю?

— Давай лучше поменяемся, так будет полезнее вам обоим.

— Не хватало, чтобы ты возилась на кухне!

— Знаешь, вежливость не в нашей стилистике... это не наша сильная сторона.

Я обогнула стойку, отобрала деревянную ложку и подтолкнула его к гостиной. Он тряхнул головой, потом достал книжку из рюкзака сына. Деклан попробовал возмутиться, но отцовское выражение лица быстро отбило у него охоту возражать. Я закончила с ужином и накрывала стол, окутанная звуками голосов — тоненького и хриплого. Эдвард не торопился, проверял, все ли понимает Деклан, и его терпение поразило меня. Когда все было готово, я прошла мимо них на террасу, не прерывая чтения, стояла там и курила. Две минуты спустя стеклянная дверь открылась, и Эдвард присоединился ко мне с сигаретой в зубах.

— Надеюсь, ты на меня не рассердишься: мне пришлось пообещать, что за столом ты будешь сидеть рядом с ним.

— Нет проблем.

На этом наш разговор закончился. Был слышен только шорох сгорающего табака, шум ветра и плеск волн. Слишком рано открывать шлюзы. В любом случае Деклан не дал нам времени справиться с волнением. Подгоняемый голодом, он прибежал звать нас к столу.

За ужином разговор поддерживал главным образом Деклан: он одарил нас монологом о своих отношениях со школьными приятелями, а потом обратился ко мне:

— Ты завтра уезжаешь? Это правда?

— Да, лечу на самолете.

— Почему? Так не честно…

— Здесь я была на каникулах, а живу в Париже и работаю там. Я тебе говорила, помнишь?

— Да... Папа, а мы сможем когда-нибудь поехать к Диане в гости?

— Поглядим.

— Ну-у-у! На каникулы!

Лицо Эдварда замкнулось.

— Деклан, — сказала я. — У тебя вся жизнь впереди, ты еще успеешь приехать ко мне в Париж.

Он поворчал, доел йогурт и молча пошел выбрасывать баночку в мусорное ведро. Потом, надувшись, плюхнулся на диван. Эдвард следил за ним, напряженный, обеспокоенный. Он тоже вышел из-за стола и сел рядом с сыном. Погладил его по голове.

— Ты же помнишь, что Эбби болеет, мы должны заботиться о ней и помогать Джеку. Поэтому я не могу отвезти тебя в Париж к Диане.

— Но ты туда ездил...

— Это правда, вот только я не должен был...

Деклан опустил голову, Эдвард глубоко вздохнул:

— А теперь пора спать.

Сын резко поднял голову:

— Нет! Папа, я не хочу!

Страх охватил малыша, исказил его черты.

— Это не обсуждается. Завтра надо в школу.

— Ну пожалуйста, папа! Я хочу остаться с вами.

— Нет. Иди попрощайся с Дианой.

Он спрыгнул с дивана, бросился ко мне и с плачем обхватил меня за талию. Я часто задышала. Эдвард растерялся, схватился за голову.

— Диана, я не хочу уходить, не хочу, не хочу…

— Послушай, твой папа прав. Тебе действительно пора спать.

— Нет, — рыдал он.

Я покосилась на Эдварда: он не знал, что с этим делать, у него не было сил бороться. Они оба нуждались в помощи, и я решилась.

— Хочешь, я пойду с тобой, как в тот раз?

Он вцепился в меня еще сильнее, его ответ был понятен без слов.

— Пошли.

Он направился к лестнице, не удостоив отца взглядом.

— Ты кое о чем забыл! — призвала я его к порядку.

Он развернулся и бросился в объятия Эдварда. Я оставила их наедине и поднялась в его спальню. На лестнице раздался топот маленьких ножек, потом я услышала, что он чистит зубы. Я зажгла ночник, привела в порядок раскиданную постель и достала из-под матраса шарф.

Войдя в спальню, он сразу скользнул под одеяло, а я стала на колени возле кровати и погладила его лоб и щеки.

— Деклан, папа делает для тебя все, что может… Он знает, что тебе плохо… Ты должен ему помочь… Я знаю, то, о чем я попрошу, будет трудно, но позволь ему спать в своей постели. Ты же храбрый мальчик… И твой папа никогда тебя не оставит… Он всегда дома, когда ты спишь… Обещаешь попробовать?

Он кивнул.

— Хочешь, я спою колыбельную?

— А когда ты вернешься?

Я склонила голову к плечу и слабо улыбнулась:

— Не знаю... ничего не могу тебе обещать.

— Но мы еще увидимся?

— Да, однажды... А теперь спи.

Я несколько раз подряд спела колыбельную, гладя его по волосам. Его маленькие веки упорно боролись со сном, но потом все же захлопнулись. У него тоже не осталось сил. Когда я почувствовала, что дыхание Деклана стало ровным, я поцеловала его в лоб и встала. Перед тем как закрыть дверь, я постояла на пороге, глядя на него.

Из гостиной исчезли следы ужина, окно было приоткрыто, в камине пылал огонь, возле него стоял Эдвард. Он курил, его напряжение ощущалось почти физически.

— Он спит, — прошептала я. — Я постаралась объяснить ему, что ты тоже должен спать в своей постели.

Он прикрыл глаза:

— Не знаю, как тебя благодарить.

— Это не обязательно... Но если в твоем холодильнике найдется гиннесс, я бы не отказалась. С удовольствием выпью последнюю пинту перед возвращением в Париж.

— А во Франции его нет? — Он немного расслабился.

— Уверена, что там у него другой вкус.

Пару минут спустя он протянул мне кружку. Мы не чокались. Эдвард сел на диван. Я осталась у камина и закурила. Я старалась на него не глядеть, но все время чувствовала на себе его пристальный взгляд. Увидев на стеллаже каталог, я не смогла сдержать любопытство.

— Твой?

— Точно.

— Можно?

— Да пожалуйста.

Я швырнула окурок в огонь, поставила кружку на журнальный столик, схватила альбом, вцепилась в него и, сразу начав перелистывать, уселась в кресло напротив Эдварда. Первые снимки озадачили меня.

— Это Аранские острова?

— У тебя хорошая память.

Все внутри напряглось, когда на одном из фото я различила свой силуэт.

— Как я могу забыть? — тихо-тихо сказала я.

Я продолжила свое знакомство с альбомом. Эдвардово настроение читалось в каждом снимке. Мне показалось, что в этой подборке он рассказывает историю, нечто вроде фоторомана в буквальном смысле слова. Начало было пронизано светом и воздухом, в пейзажах, которые он открывал для зрителя, легко дышалось. Но постепенно атмосфера становилась более гнетущей: небо всюду мрачное, темное от черных туч, бушующее море, корабли, терзаемые штормом. А еще через несколько страниц кислорода опять прибавлялось, солнечный луч ударял в морскую гладь и подсвечивал небо. Последняя фотография — тень детской фигурки, бегущей по пляжу, волны лижут ступни ребенка, точнее, Деклана. Альбом Эдварда — это хроника его жизни, того, что он пережил за последний год. Как если бы он хотел изгнать таким способом свои страдания, заколдовать их, заточить в альбом и жить дальше. Я была целиком поглощена этим "чтением" и не заметила, что он вернулся к камину и теперь стоял, повернувшись ко мне спиной. Я поставила альбом на место, допила гиннесс, чтобы справиться с волнением, собралась с духом и подошла к нему:

— Эдвард... я очень сожалею о том, что исчезла тогда вот так, в один момент. Это было нечестно. Извини...

Он обернулся и уперся в меня взглядом.

— Не надо ни о чем жалеть, — жестко возразил он. — Очень хорошо, что ты познакомилась с моим сыном: теперь мои приоритеты тебе известны. Ты построила новую жизнь с Оливье, и я очень рад за тебя.

Его голос чуть дрогнул, к моему горлу подкатил комок. Его взгляд стал более настойчивым, он продолжил, но уже мягче:

— Ты тогда приняла правильное решение. У меня теперь Деклан... У нас нет и не может быть общего будущего.

Он был стопроцентно прав — мы бы наверняка в конце концов расстались. Какое-то время ни он, ни я не шевелились. Я набрала побольше воздуха в легкие.

— Уже поздно, я пойду, так будет лучше.

— Мы все друг другу сказали.

— Думаю... да.

Он подошел со мной к двери:

— Провожу тебя до машины.

— Если не трудно.

Налетел порыв ветра, на улице было черным-черно. Я открыла дверцу и бросила сумку на пассажирское сиденье.

— Мы с Джудит будем сообщать тебе о здоровье Эбби.

— Спасибо… и не забывай заботиться о себе, Эдвард.

— Постараюсь…

Я села в машину, не сказав больше ни слова. Последний взгляд — и все было кончено. Он закурил и подождал, пока я уеду.

Когда я приехала, Эбби и Джек уже спали. Я поднялась в спальню, стараясь не шуметь, собрала вещи и легла в уверенности, что сон заставит себя долго ждать. Печаль и чувство облегчения по очереди брали верх. Отныне в наших с Эдвардом отношениях полная ясность, я обрубила связывавшую нас пуповину. Радость от предстоящей встречи с Оливье компенсировала накатывавшую грусть. Наш роман с Эдвардом, который, по сути, так и не стал романом, теперь окончательно завершился. В какой-то момент сон настиг меня.

Пробуждение оказалось тяжелым; стоило открыть глаза, и сразу навалилась тоска. Приняв душ и одевшись, я сняла постельное белье и сунула его в стиральную машину. Наведя в спальне порядок, я спустилась с дорожной сумкой в руках. Эбби встретила меня широкой улыбкой и сытным завтраком. Я решила, что заставлю себя все съесть из уважения к ее стараниям; в крайнем случае по пути в аэропорт меня стошнит. Я расцеловала Эбби в обе щеки.

— Хорошо провели вчера вечер? — поинтересовалась я.

— Конечно. А как у тебя было с Эдвардом и Декланом?

— Отлично.

— Не хочешь говорить об этом?

— Так особо и не о чем говорить...

— Она тебя понимает, — вмешался Джек. — Правда же, Эбби?

— Давай, наберись сил перед дорогой. — Она взяла меня за руку.

Мы усердно пытались наполнить нашу последнюю совместную трапезу хоть каким-то весельем, но нам это не удавалось.

— Возьмешь что-нибудь с собой? Еду? Питье?

— Нет, спасибо, Эбби... Поеду... Долгие проводы — лишние слезы...

Джек первым встал из-за стола. Взял все мои вещи и вышел. Мы с Эбби смотрели друг на друга.

— Поможешь мне, деточка?

Я быстро обогнула стол и взяла ее под руку. Пока мы шли, она похлопывала меня по ладони. Я еле сдерживала рыдания. Машина подъехала слишком быстро. Джек устремился ко мне, широко раскинув ручищи.

— Моя маленькая француженка, — вздохнул он, прижимая меня к себе. — Будь осторожна.

— Обещаю, — шмыгнула я носом.

— Попрощайся с ней.

Он отпустил меня, вытащил из кармана необъятных размеров носовой платок, вытер щеки и нос. Я обернулась к Эбби, она погладила меня по щеке:

— Мы уже все сказали друг другу, деточка.

Я кивнула и не сумела выдавить ни слова.

— Пообещай мне еще одну вещь: не грусти, когда меня не станет, и не плачь. Не надо отравлять воспоминания о нашей встрече, ведь она дала нам время, чтобы подготовиться.

Я запрокинула голову, чтобы помешать пролиться слезам, потом промокнула глаза и поглубже вздохнула.

— Не заставляй меня лгать, когда я буду говорить твоим Колену и Кларе, что у тебя все хорошо, ты счастлива и они могут тобой гордиться. Договорились?

Чтобы попрощаться с ней и подкрепить свое обещание, я просто крепко обняла Эбби и прошептала на ухо, что люблю ее как мать. Со слезами, дрожащими на ресницах, она опять погладила меня по щеке и выпустила из своих объятий. Я села в машину, избегая смотреть на Эбби и Джека, и тронулась с места не оглянувшись. Я проехала с десяток километров, а потом остановилась на обочине, чтобы как следует наплакаться.

До сих пор не понимаю, как мне удалось добраться до дублинского аэропорта без аварии. Я заливалась слезами все четыре часа пути и в слезах сдавала взятую напрокат машину, регистрировала багаж, проходила контроль безопасности, отправляла из самолета эсэмэску Оливье. Когда мы взлетали, мне казалось, будто меня насильно отрывают от родной земли. Тем не менее я постаралась взять себя в руки и успокоиться: мужчина, ждавший меня в Париже, не заслуживал того, чтобы я предстала перед ним в таком виде. Поэтому я сделала над собой усилие, чтобы по возможности вернуть лицу безмятежность или, правильнее сказать, чтобы оно выглядело не таким опухшим. Я покинула самолет одной из последних, зашла в туалет, умылась, накрасилась и только после этого сняла сумку с ленты транспортера. Открылись двери на выход: он стоял там, улыбаясь, такой умиротворяющий и надежный, радостно ждущий меня. Я побежала и бросилась в его объятия. Не для того, чтобы изобразить счастье от встречи, и не принуждая себя, а потому что мне этого хотелось. Боль от расставания с Малларанни никуда не делась, я знала, что она навсегда останется со мной, но рядом с Оливье мне было легче дышать.

Глава восьмая

Уже наутро жизнь вернулась на круги своя. Я провела у Оливье ночь, которая помогла мне восстановить душевные силы. Он проводил меня, отнес в студию дорожную сумку, а я направилась прямо в кафе. Мне не пришлось просить Оливье оставить меня наедине с моими "Счастливыми людьми", он сам все понял. Я сразу почувствовала облегчение, увидев, что все на своих местах. В мое отсутствие Феликс ничего не разворотил, и в помещении было чисто. Он наверняка очень и очень постарался и точно попросит дополнительное вознаграждение или бонусы! Еще одна приятная новость, причем не из второстепенных: мне здесь хорошо, и я чувствую подъем при мысли, что снова принимаюсь за работу. Пребывание в Ирландии не нарушило связь между "Счастливыми" и мной. Оливье постучался в заднюю дверь, я ему открыла.

— Спасибо. — Я поцеловала его. — Есть время на чашку кофе?

— Ну конечно!

Мы рядышком сели к стойке. Оливье развернул меня к себе, погладил по лицу и взял за руку:

— Ты себя хорошо чувствуешь?

— Честное слово, да.

— Значит, ты ни о чем не жалеешь?

— Ни секунды.

— Что ж, отлично... А как мальчик?

— О... Деклан... Я справилась, и гораздо лучше, чем рассчитывала.

— Наверное, потому что ты знакома с его отцом.

— И со всей семьей... Не знаю... К нему трудно не привязаться... В общем... его опять ждет потеря. Эбби заменила ему бабушку... и когда ее не станет...

Мой голос дрогнул.

— Не думай об этом.

— Ты прав.

— Главное, ты снова встретилась со старыми друзьями. Теперь будешь поддерживать эту связь.

— Естественно. А как по-другому?!

Он допил кофе и собрался уходить. Тесно прижавшись к нему, я проводила его до выхода.

— Хочешь, пойдем сегодня вечером в кино? — предложил он.

— С удовольствием! Но спать будем у меня.

— О'кей.

Он поцеловал меня и отправился принимать пациентов.

Как я и предполагала, Феликс прихватил полдня. Он появился, не торопясь, только около трех.

— Хозяйка распугала клиентов! Когда я стоял у руля, народу было больше.

— Я тоже рада видеть тебя, Феликс!

Он чмокнул меня в щеку, налил себе кофе и облокотился о стойку, внимательно наблюдая за мной.

— Что ты делаешь? — спросила я.

— Проверяю состояние объекта...

— Вердикт?

— По внешнему виду, техосмотр ты проходишь. Вчера ты, наверное, столько ревела, что свалилась, чуть живая, едва добралась до постели. В результате выспалась и благодаря этому выглядишь вполне пристойно, с каким-никаким румянцем и без опухших век. А вот под капотом, напротив... твоя исправность вызывает сомнения.

— Ну да, не скрою, прощание с Эбби было тяжелым. Я ее никогда больше не увижу... Можешь ты это понять?

Он кивнул.

— Что до всего остального, я в полной норме — надышалась морским воздухом, вволю погуляла с Джудит... Короче, чистая радость и счастье!

— А Эдвард?

— Что Эдвард? Он как-то справляется, мы с ним расставили все точки над "i", и это отлично.

— Хочешь сказать, ты не поддалась его мрачному и диковатому очарованию во второй раз?

— Феликс, он отец семейства.

— Вот-вот. Готов превратиться в плюшевую собачку, если он не стал еще более сексуальным, когда рядом появился этот мальчишка!

Я закатила глаза:

— Ты забыл об одной мелочи: у меня есть Оливье, я люблю Оливье.

— Очень своевременное уточнение, теперь я спокоен!

День за днем я погружалась в привычную рутину. "Счастливые" соответствовали моим ожиданиям, Феликс блистал отличной формой, а мне было хорошо с Оливье. Но кое-что прибавилось: раз в неделю я разговаривала по телефону с Эбби и Джудит. И это дарило мне радость и как будто заполняло образовавшуюся пустоту.

Мы были у Оливье, сидели на диване перед телевизором. Я дремала, положив голову ему на плечо, и фильм, от которого он не мог оторваться, не вызывал у меня интереса.

— Иди спи, — сказал он в конце концов.

— Ты не обидишься?

— Что за ерунда!

Я поцеловала его в шею, забежала на минутку в ванную, потом легла. Я еще не успела заснуть, когда Оливье скользнул под одеяло и обнял меня.

— Не досмотрел?

— Я знаю, чем кончится. Поставила будильник?

— Черт!

— Что случилось?

— Опять забыла сумку под стойкой в "Счастливых". Придется до открытия подняться домой переодеться.

Я взяла с ночного столика телефон и переставила будильник на двадцать минут раньше. Укладываясь, я продолжала ворчать.

— Диана?

— Да.

— Может, нам поискать квартиру?

— Хочешь, чтобы мы жили вместе?

— Можно и так это сформулировать! Послушай, мы все ночи проводим вместе и уже вышли из того возраста, когда перевозят пижаму и зубную щетку из квартиры в квартиру.

— Знаешь, обычно такое предложение делают женщины. Разве нет?

— Мое женское начало подает голос! Так что ты об этом думаешь?

— Может быть, ты прав...

Зачем медлить с переходом на новый уровень? Искренне удивленный, он склонился надо мной, на его губах расцвела улыбка. Я обрадовала его...

— Ты серьезно? Хочешь жить со мной?

— Да!

Он поцеловал меня, потом прижался лбом к моему лбу. Он всегда был ко мне настолько внимательным, что я временами казалась себе хрупкой вещицей, доверенной ему на хранение.

— Я бы понял, если бы ты сказала, что еще не готова... Будем теперь искать подходящую квартиру.

— И это правильно...

Несколько дней спустя Оливье сидел в "Счастливых", я изучала квартирный сайт *PAP*, а он обзванивал агентства недвижимости в нашем квартале, отмечал маркером предложения, составлял списки, нервничал, если ему отвечали, что квартира уже сдана, и радовался, когда удавалось договориться о просмотре. Перед ним стояла нелегкая задача: он вбил себе в голову, что нам нужно жить по соседству со "Счастливыми". Ради меня, чтобы мне было удобнее.

— У нас проблема! — объявил он.

— Какая?

— Все посещения в ближайшую субботу.

— А...

— Вот-вот!

У нас у обоих была одна и та же реакция: мы повернулись к Феликсу, который забрасывал в рот конфету за конфетой. Недавно он объявил, что бросает курить, но при этом не собирался обходиться без сигарет. "Я опережаю события, готовлюсь", — очень убежденно объяснял он. Заметив наши пристальные взгляды, Феликс вопросительно приподнял бровь и отправил в рот очередной леденец.

— Что вы задумали?

— Ты должен оказать Диане услугу.

— Это обойдется не дешево...

— Феликс, ну пожалуйста, — настаивала я. — Нам нужно пройтись по квартирам в субботу.

— *No problem*! Тратьте сколько угодно времени на выбор своего гнездышка! Лишь бы она выехала из этой норы!.. Ну, тогда я сейчас пойду домой.

Он порадовал себя очередным леденцом, а затем заключил Оливье в объятия.

— Не знаю, что бы я делал с такой обузой, как она, если бы не ты!

— Ладно, хватит тебе! — возмутилась я.

— Я тебя обожаю, Диана!

И он убежал вприпрыжку.

— Не сомневаюсь, в субботу мы найдем свое счастье, — сказала я Оливье.

— Надеюсь! Ты действительно уверена в себе?

— Да!

— Не будешь скучать по своей студии?

— Конечно буду... Но хочу двигаться вперед вместе с тобой.

Я поцеловала его, перегнувшись через стойку. Я должна преодолевать этап за этапом, даже если иногда у меня возникает ощущение, будто события развиваются слишком быстро. Может статься, я приняла его предложение ради покоя и удобства, пошла по линии наименьшего сопротивления, но все равно не хотела теперь отступать. Запрещала себе. Мне хорошо с Оливье, с ним так приятно, спокойно.

Когда он появился в кафе следующим вечером, я как раз собиралась звонить Эбби. Он прошел за стойку, обнял меня.

— У тебя был удачный день? — спросила я.

— Очень. Скоро закрываешься?

— Хочу сначала поговорить с Эбби.

— Конечно.

— Налей себе пива.

Я не скрывала свои звонки в Ирландию. Оливье знал, что Эбби мне дорога и я нуждаюсь в общении с ней. Так что его это не напрягало. Я присела на табурет около кассы и облокотилась о стойку. Оливье устроился по другую сторону и листал журнал. Я набрала номер Эбби и Джека — его я знала на память. Прошло, как мне показалось, бесконечно много времени, и только потом трубку сняли.

— Да!

Это не были ни Эбби, ни Джек. По спине у меня пробежала дрожь.

— Эдвард... это Диана.

Боковым зрением я увидела, что Оливье отвлекся от своего журнала.

Эдвард помолчал несколько секунд, а потом все-таки задал вопрос:

— Как у тебя дела?

— М-м-м... хорошо. А у тебя?

— Все в порядке...

Я услышала голос Деклана и улыбнулась.

— Как твой сын?

— Лучше... Знаешь... я учу его фотографии...

— Правда? Это прекрасно... я...

Я предпочла остановиться в самом начале фразы и не сказать, как бы мне хотелось увидеть их обоих с фотоаппаратами в руках. Такое желание накатило откуда-то издалека и потрясло меня своей силой.

— Это кто, папа?

Эдвард вздохнул в трубку:

— Диана.

— Я хочу с ней поговорить! Диана! Диана!

— Эдвард, скажи ему, что я его целую, у меня мало времени. Эбби где-то рядом?

Я просто защищалась, на самом деле времени у меня было сколько хочешь.

— Она легла, но я сейчас передам трубку Джеку. До скорого.

Я начала разговор с Джеком и слышала, как Эдвард успокаивает Деклана: тот не понимал, почему всем можно поговорить со мной, а ему нет. Отец объяснял, что я спешу, что я сейчас с семьей в Париже. Это вернуло дистанцию между нами и расставило все по своим местам. Я перестала прислушиваться к ним и сосредоточилась на новостях. Джек сообщил, что в последние несколько дней Эбби сильно устает. В его голосе я различила беспокойство и одновременно покорность судьбе.

— Я скажу ей, что ты звонила. И тут же получу втык за то, что не разбудил. Твои звонки очень важны для нее.

— Я попробую перезвонить завтра. Поцелуй ее от меня. Крепко обнимаю тебя, Джек.

— А я тебя, моя маленькая француженка.

Я повесила трубку. Впервые после моего возвращения, то есть больше чем через месяц, я почувствовала острое желание оказаться там, у них. Чтобы сидеть рядом со спящей Эбби.

— Диана?

— Она спит и, похоже, не слишком хорошо себя чувствует, — вздохнула я. — Перезвоню завтра, может, больше повезет... Расскажи о квартирах, это отвлечет меня!

Назавтра во время разговора с ней меня кольнуло нехорошее предчувствие. Да, конечно, Эбби не так слаба, как я полагала, однако она уделила непривычно много времени разным советам.

— Помни, что время лечит, улыбайся, не плачь, слушайся своего сердца. — Она щедро пересыпала свою речь полными нежности и любви словами "моя маленькая", вставляя их после каждой фразы.

Суббота наступила быстро. Квартирный марафон начался рано и совершенно измотал меня. Нам показали и ужасные, и отличные варианты. Оливье взял на себя составление наших заявок, а я ограничилась предоставлением необходимых сведений о себе[1]. Он "продавал" нас владельцам, а я изучала очередное потенциальное жилье.

[1] Во Франции, чтобы снять квартиру, нужно предоставить арендодателю некоторое количество личных данных.

Он буквально влюбился в квартиру рядом с метро "Тампль", его энтузиазм был заразительным. У меня не нашлось возражений, действительно идеальная квартира — две комнаты, крохотный балкон и отличный вид с него, маленькая изолированная кухня и только что отремонтированная ванная с итальянским душем. Радость Оливье достигла предела, когда выяснилось, что квартира свободна прямо сейчас. Он взял меня за руку и отвел в угол гостиной:

— Что ты об этом думаешь?

— Нам здесь будет хорошо.

— Не слишком далеко от "Счастливых"?

— Десять минут пешком я уж в состоянии одолеть!

На его лице было написано сомнение. Я забрала у него заявку и протянула агенту.

— Когда хозяин ответит?

— На следующей неделе.

— Отлично, ждем вашего звонка.

Я ухватила Оливье за рукав, бросила последний взгляд на гостиную и потянула его к лифту.

— Видишь? Мы это сделали!

Я расцеловала его от всей души. И одновременно для того, чтобы заглушить уколы невесть откуда всплывшего страха. Мы не торопясь дошли до "Счастливых людей", держась за руки и обсуждая обустройство нашей квартиры, как и положено любой довольной жизнью паре. У порога Оливье ответил на звонок приятеля и не стал заходить внутрь, а задержался на улице. Перед тем как выдержать Феликсов допрос, я налила себе кофе.

— Мы предоставили свое досье, скоро узнаем, устроило ли оно хозяина.

— Ух ты, поверить не могу. Ты решилась!

— Ну да!

Он пристально всмотрелся в меня:

— Ты довольна?

— Просто немного странно себя чувствую: буду жить вместе с мужчиной, но не с Коленом.

— Все так, но ты же его любишь.

— Вот-вот.

Когда Оливье, широко улыбаясь, присоединился к нам и поцеловал меня, я решила, что хватит терзаться сомнениями: я действительно готова жить с ним. Наконец-то я обрела покой.

В тот же вечер я еще раз повторила это себе. Его друзья — молодые родители — пригласили нас на ужин. Детский лепет подверг мои нервы суровому испытанию уже с первой минуты. Зрелище идеальной маленькой семьи было непереносимым, и я знала почему. Оно вызывало в памяти нас троих — меня с Коленом и Кларой. Друзья были беззаботны, полны счастья и ни на секунду не задумывались о том, что в любой момент все это может рухнуть. Жизнь подарила мне встречу с мужчиной, не озабоченным идеей отцовства и передачи своего генетического наследия. Я получила то, что мне нужно. Но я сознавала, что предпочитаю общество людей, потрепанных жизнью: оно встряхивало и подстегивало меня.

Когда младенец уснул, я смогла расслабиться и наслаждаться вечером, избавившись от тягостных мыслей. В какой-то мере мне повезло — родители были не из тех, кто не спускает ребенка с рук. Оливье взял на себя сообщение о предстоящем великом событии. Друзья искренне порадовались, и мы подняли бокалы за нашу новую квартиру. Потом они предложили помочь с коробками и ящиками и стали подшучивать над Оливье: два переезда меньше чем за полгода — это сильно! Я пообещала всех угостить вином в качестве компенсации. Через какое-то время я начала нервничать. Оливье заметил это и наклонился ко мне:

— Пойди покури, никто на тебя не обидится.

— Спасибо...

Я вынула из сумки сигареты и телефон и извинилась перед хозяевами. Чтобы дорваться до вожделенной дозы никотина, пришлось выйти на улицу. Я достала телефон — оказалось, полчаса назад мне пыталась дозвониться Джудит. Я тут же набрала ее номер, и она ответила после первого гудка.

— Чем занимаешься в субботний вечер?

— Ужинаю у друзей Оливье. Отмечаем нашу будущую квартиру!

— Что-о-о? Ты будешь жить с ним! То есть это действительно серьезно?

— Похоже на то... А ты что запланировала на сегодня?

— Где я могу быть в субботу, как ты думаешь?

Я засмеялась.

— В Темпл-Баре. Я сегодня гуляю, — сказала она, подтверждая мою догадку.

— Ну и хорошо. А как там дела, все в порядке?

— Да. В последние дни Эбби очень ослабла, но мы зря испугались, и теперь все пришло в норму.

— Пользуйся моментом. Выпей за меня пинту гиннесса.

— И не одну, уж положись на меня. Пока!

Перед тем как телефон выключился, я услышала, что она заказывает пиво на фоне веселого гула, стоящего в пабе. Я позавидовала и вернулась к столу.

Мы получили положительный ответ. Подписываем договор аренды через неделю, тогда же нам дадут ключи от квартиры. Меня подхватило течением, и я послушно следовала за Оливье, который взял на себя все хлопоты. Ему удавалось спрессовать несколько дней в один, лавируя между приемом пациентов, оформлением необходимых бумаг и подготовкой к переезду. Я же посвящала все время "Счастливым людям". Мое усердие как будто удвоилось: я беспрестанно думала о "Счастливых", проводила там все вечера и с каждым днем задерживалась в кафе все дольше. Может, так я пряталась от своих настоящих проблем? "Счастливые" были моим домом, моей гаванью, местом, где можно собраться с мыслями. Я тщательно избегала каких бы то ни было дискуссий с Феликсом: уж он-то умеет надавить на самое больное место. На любые сомнения было наложено вето.

В понедельник после шести мы укладывали вещи в квартире Оливье. У вечерних сборов после рабочего дня есть важное преимущество: некогда размышлять. Вот я и не размышляла об обязательствах перед Оливье, которые взяла на себя. Однако было совершенно очевидно, что мысль о совместной жизни не вызывает у меня такого бурного энтузиазма и восторга, как у него. Нахлынули воспоминания: мое радостное возбуждение, когда мы обустраивали свой дом с Коленом, — я тогда не могла думать ни о чем другом, кроме нашего будущего очага. И все-таки сегодня я была уверена, что достаточно люблю Оливье, чтобы идти до конца. Нужно просто признать, что я выросла и что любовь в тридцать пять лет совсем другая, не такая, как в двадцать пять, особенно если ты уже по собственному опыту знаешь, что такое семейная жизнь.

Когда пришло время ложиться, мы оба свалились без сил. Сон прервал мой мобильник, затрезвонивший посреди ночи. Я нащупала его на ночном столике. Глаза толком не открылись, но все же мне удалось прочесть на экране "Джудит", и я все поняла еще до того, как услышала ее голос, в котором звенели слезы.

— Диана... все кончено...

— Джудит, милая...

Я слушала ее, а она рассказывала, что Эбби не мучилась, улыбалась до самого последнего мгновения и два дня назад мирно уснула в объятиях Джека. Именно он стал хранителем ее посланий каждому из нас: Джудит, Эдварду, Деклану и мне.

Первые слезы полились у меня, когда я узнала, что Эбби думала обо мне в свой смертный час.

— Извини, что звоню так поздно, но у меня только сейчас нашлось время. Надо всё подготовить...

— Ничего страшного. Ты где?

— У них, не хочу оставлять Джека. А Эдвард занимается Декланом.

— Постарайся поспать, я позвоню тебе завтра. Я бы так хотела быть сейчас рядом с тобой...

— Знаю... Нам всем тебя не хватает...

Она повесила трубку. Я села в кровати и разрыдалась. Оливье обнял меня, пытаясь остановить дрожь. Я ожидала ухода Эбби, знала, что это должно случиться. Но все равно было больно осознавать, что она уже не будет управлять своим маленьким королевством, все подданные которого беспрекословно повиновались ей, больше не сможет заботиться о них. Джек потерял свою вторую половину.

— Я тебе очень сочувствую, — прошептал Оливье. — Что я могу для тебя сделать?

— Ничего.

Он поцеловал меня в лоб, прижал к себе, баюкая. Он был рядом, а я чувствовала себя такой одинокой и многое отдала бы за то, чтобы оказаться совсем не здесь.

— Нужно позвонить Эдварду.

Я высвободилась из объятия Оливье, встала, натянула свитер и пошла в гостиную, набирая его номер. Он тут же ответил.

— Диана, — выдохнул он в трубку. — Я ждал твоего звонка.

Мне было необходимо услышать твой голос, подумала я.

— Я здесь...

Я расслышала щелчок зажигалки и звук первой затяжки. Последовала его примеру. Мы курили вместе, оставаясь каждый в своей стране. Я различила шум ветра.

— Ты где? — спросила я.

— На террасе.

— А Деклан?

— Он только что уснул.

— Когда похороны?

— Послезавтра.

— Так скоро!

— Джек не хочет откладывать... Он готов.

— Я приеду...

— Ты не можешь все бросить, ради того чтобы быть с нами. Даже если мне...

— Мое место рядом с вами, и никто не помешает мне приехать.

— Спасибо... Извини, Деклан проснулся, плачет...

— Перезвони, когда он снова уснет, звони в любое время, я отвечу. Иду заказывать билет на самолет.

— Диана... я...

— Поднимись к сыну.

Я выключила телефон, а потом долго на него смотрела, не замечая, что Оливье присоединился ко мне и даже позаботился принести пепельницу. Я и не видела, что он стоит рядом.

— Можно воспользоваться твоим компьютером?

— Что ты хочешь сделать?

— Мне нужно найти билет на завтрашний рейс.

— Что?!

— Я должна быть на похоронах Эбби. Никогда не прощу себе, если не поеду.

— Понимаю...

Он принес компьютер и сел рядом со мной на диван.

— Иди спи.

— Диана, позволь мне как-то помочь.

Я обняла его за шею. Меня приводила в отчаяние мысль, что я все это вешаю на него, ломаю его планы, но я ничего не могла с собой поделать — будто слышала некий зов, на который нельзя не откликнуться. Моя жизнь вдруг резко затормозила, перед тем как сменить направление. И ничто и никто — ни "Счастливые", ни Оливье, ни Феликс — не способны остановить этот порыв.

— К сожалению, ты ничего не можешь сделать. Не надо проводить из-за меня бессонную ночь.

Он покачал головой, поцеловал меня и встал:

— Я все равно не усну, пока тебя не будет рядом, но оставлю одну, раз ты так хочешь.

— Прости меня.

Он не ответил. Я следила за ним взглядом, пока он шел в спальню. Дверь он оставил открытой. Я искала нужный рейс и думала только об Эдварде, которому приходится сражаться с ночными страхами Деклана. Я как раз оплатила билеты, когда зазвонил телефон.

— Эдвард...

— Все в порядке, он уснул.

— Тебе стоит сделать то же самое.

— Как и тебе!

Я улыбнулась.

— У меня уже есть билет, прилетаю завтра вечером в восемь и сразу поеду к вам.

— Дорога темная, это опасно, я встречу тебя.

— Что ты выдумываешь? Я всегда брала машину напрокат, и сейчас возьму. Я уже взрослая девочка, справлюсь. Ты вроде никогда не пытался обо мне заботиться, к чему начинать?!

— Даже не думай спорить. Я приеду.

— Зачем тебе пересекать всю страну туда-обратно? А Деклан? Он же будет в ужасе, если ты его на полдня бросишь!

— Если я скажу, что еду за тобой, он меня отпустит... С ним останется Джудит, и ей только на пользу отойти от Эбби на несколько часов. Я выеду ближе к вечеру, и около полуночи мы уже вернемся.

— Ты придумал какую-то ерунду.

— Пожалуйста, Диана. Позволь тебя встретить, мне нужно передохнуть, глотнуть свежего воздуха.

Его просьба о помощи поколебала мою уверенность.

— Ну ладно... А теперь иди спи.

— До завтра.

Он повесил трубку. Я задержалась в гостиной, чтобы выкурить сигарету, — мне нужно было уложить в сознании происходящее: завтра я вылетаю в Малларанни на похороны Эбби. Впрочем, в глубине души я всегда была уверена, что, когда это случится, я туда вернусь. Пусть и подвергая себя опасности. Мое тело пока оставалось в Париже, но мыслями я была уже там. Вернувшись в спальню, я увидела, что Оливье, как и обещал, не спит. Он ждал меня, закинув руку за голову. Когда я вошла, он откинул одеяло, и я сразу забралась в постель, прижалась к нему, он сомкнул руки на моей спине.

— На сколько ты летишь? — шепотом спросил он.

— На три дня. Не беспокойся, мы переедем, как договорились.

— Меня не это тревожит...

— А что тогда?

— Ты.

— Не волнуйся, я не сломаюсь. Смерть Эбби не имеет ничего общего с тем, что я пережила. К ней я была готова. И собираюсь исполнить данное ей обещание — не плакать и продолжать жить.

— Правда?

Я не ответила. Всю ночь я прижималась к нему. В какой-то момент сон сморил меня, и мне удалось поспать несколько часов. Когда я проснулась и на меня заново обрушилось понимание того, что я потеряла Эбби, дыхание на миг перехватило. Я взяла себя в руки, попыталась справиться с горем. Нужно было все организовать, подготовить трехдневное отсутствие и успокоить Оливье, на лице которого застыла маска тревоги, за ночь ставшая еще более заметной. Пока мы завтракали, он не отрывал от меня глаз.

— Когда ты летишь?

— В семь вечера.

— Постараюсь проводить тебя.

— Не отменяй из-за этого пациентов.

— Но я хочу тебя проводить, так что не отговаривай.

Полчаса спустя он попрощался со мной на пороге "Счастливых". Я открыла кафе и вместо обычной болтовни с утренними клиентами сразу занялась делами. Привела бар в порядок, проверила, есть ли все необходимое у Феликса, и только потом позвонила Джудит. Ее голос был не таким подавленным, как накануне. Эдвард сообщил ей о моем приезде, и я поняла, что она испытала облегчение. А потом Джудит без предупреждения передала телефон Джеку.

— Моя маленькая француженка, как ты там?

— Да какая разница, этот вопрос лучше задать тебе.

— Все нормально, мы прожили хорошую жизнь. Мне поручено кое-что сказать тебе… Но ты и так все знаешь.

— Да. — Я шмыгнула носом.

— Меня тронуло твое решение прилететь. Но вот увидишь — это утолит твою печаль.

— До завтра, Джек.

Я опустила голову, тяжело вздохнула и повесила трубку.

— Это что значит: до завтра, Джек?

Я вздрогнула от вопроса Феликса.

— Я лечу сегодня вечером, Эбби умерла.

Я отвернулась и налила себе кофе.

— Ты не можешь! Не можешь лететь на похороны в Ирландию.

Он взял меня за плечи и заставил посмотреть ему в глаза.

— Что мне помешает?!

— Да всё, блин, всё! Ты этого не выдержишь! Черт побери! У тебя наконец-то все сложилось, в твоей жизни есть Оливье, "Счастливые люди", ты перевернула страницу. Забудь Ирландию и ее обитателей!

— Не требуй от меня невозможного! К тому же не из-за чего поднимать шум: я лечу на три дня и вернусь к нашему переезду.

— В каком состоянии?

— Да надоело мне, что все меня опекают. Ты, Оливье... Хватит! Почему вы думаете, что я свалюсь при первом испытании?! Я уже не та, я взяла жизнь в свои руки, у меня все хорошо, и я знаю, чего хочу. Я слушаю свое сердце, и оно мне подсказывает, что я должна попрощаться с Эбби и быть в этот день с теми, кого люблю.

— А мальчишка, он тоже среди тех, кого ты любишь?

Его атака заставила меня отступить на шаг и забормотать:

— Я не знаю... Деклан — это...

— Сын Эдварда! Вот он кто!

Я уставилась в пол. Феликс схватил меня, прижал к груди.

— Ты меня достала, Диана. Опять невесть что сотворишь со своей жизнью, а я потом распутывай твои художества.

— Нечего будет распутывать.

— Прекрати косить под дурочку, тебе это не идет.

Время понеслось как сумасшедшее. Только я успела пообедать, как пора было собирать вещи. Феликс согласился в ближайшие три дня взять кафе на себя. Оливье, как и обещал, заехал за мной в "Счастливых", чтобы проводить в аэропорт. В качестве прощания Феликс ограничился двумя звучными поцелуями и выразительным взглядом, сигнализирующим "будь осторожна". Я вышла, сделала три шага, держа Оливье за руку, и обернулась, чтобы запечатлеть в памяти свое литературное кафе. Пробежалась глазами по витрине, вывеске... Я снова отдалялась от своего прибежища... ради них, ради Ирландии...

Наша поездка в аэропорт прошла в молчании, Оливье притянул меня к себе, целовал волосы и гладил руки. В его печали была моя вина, и мне это не нравилось. Неужели эгоизм становится моей второй натурой? Я приняла это решение, не подумав о нем, о том, какую боль оно ему причинит, мне даже в голову не пришло поинтересоваться его мнением.

Я зарегистрировалась, и мы вышли на улицу. Я курила последнюю перед посадкой сигарету. И тут зазвонил телефон.

— Да, Эдвард.

Оливье чуть теснее прижал меня к себе.

— Я выезжаю. Твой рейс, случайно, не отложили?

— Только что объявили вылет по расписанию.

— Буду ждать тебя сразу за таможней.

— Отлично, постараюсь выйти среди первых.

— До скорого.

Он отключился так быстро, что я даже не успела ответить. Я повернулась к Оливье — он не отрывал от меня глаз, в которых читалось беспокойство.

— Ты обижаешься на меня? — спросила я.

— Естественно, нет... На самом деле они почти твоя семья... Я только жалею, что ты закрываешь передо мной эту дверь и я не могу заботиться о тебе так, как хотел бы. Вот и все.

Я взяла его ладони в свои.

— Я вернусь и буду с тобой. Не беспокойся.

— Ты по-прежнему хочешь переезжать в ближайшие выходные?

— Да!

Он обнял меня и громко выдохнул мне в шею:

— Тебе пора.

Оливье проводил меня до последнего барьера, за который пускали только пассажиров.

— Не жди, пока объявят посадку, возвращайся домой, договорились? И пожалуйста, не ломай свой график, чтобы встретить меня.

Он кивнул и прижался ко мне губами. Я почувствовала в этом поцелуе всю его любовь, всю ласку, всю нежность. Я вернула ему поцелуй, надеясь, что мой будет таким же любящим и нежным. Не знаю, насколько убедительно это у меня получилось.

Глава девятая

Я отстегнула ремень едва ли не первой, стоило самолету затормозить на поле. Первой покинула его. И была единственной, кто звучно завопил "Черт!", увидев, что до выхода придется пересечь весь аэропорт. Мой чемодан на колесиках временами взлетал, так быстро я бежала. Издаваемый им грохот привлекал внимание пассажиров, которые спешили посторониться. Я отказывалась признать причину, вынуждавшую меня так мчаться. Наконец открылись двери в зал прилета; Эдвард ждал, прислонившись к стене, с погасшей сигаретой в зубах. Я на мгновение застыла, он выпрямился и направился ко мне. Я продолжила механически переставлять ноги, заставляя сердце молчать. Мы подошли друг к другу, наши глаза встретились.

— Идем? — для порядка спросил он, забирая у меня багаж.

— Да.

Он сделал последний шаг ко мне, наклонился и прижался губами к виску. Я задержала дыхание и опустила ресницы. Когда он зашагал в сторону парковки, я несколько секунд не могла сдвинуться с места — мне понадобилось время, чтобы вернуться с небес на землю и последовать за ним. На улице меня охватил колючий холод. Пришла зима с ее лютым ветром и ледяными каплями дождя. Такая погода должна привести меня в чувство. Эдвард закурил, протянул мне пачку, покосившись через плечо. Я запретила себе реагировать на прикосновение его пальцев к моим. Мы не стали терять время и тронулись в путь, едва успев закинуть чемодан в багажник. При этом мы не сказали друг другу ни слова. Езда в окружающей нас черной ночи пьянила настолько, что я подумала: Феликс был прав. В голове у меня туманилось, несмотря на печальную цель моего путешествия. В какие-то моменты я была на грани. Я наблюдала за Эдвардом: он держал руль одной рукой и ехал быстро, улетев куда-то мыслями. Наверное, он почувствовал, что я за ним наблюдаю, потому что оторвал взгляд от дороги и перевел его на меня. То, что сейчас происходило, было невозможным, запретным. Куда делась дистанция, которую мы тщательно выставили между нами несколькими неделями раньше? Мы вздохнули одновременно. Звонок моего телефона заставил его снова сосредоточиться на дороге. Я шумно сглотнула слюну, перед тем как ответить.

— Оливье, я собиралась тебе звонить! Мы едем.

— Ну и прекрасно. Все в порядке?

— Да.

— Не буду тебе надоедать. Передай Эдварду мои соболезнования.

— Обязательно. Я тебя целую.

— Диана... я тебя люблю.

— И я тебя.

Я почувствовала себя неуютно, произнося эти три коротких слова. Выключив телефон, я изо всех сил сжала его в руке и зажмурилась. Эдвард закурил, я тоже. Сквозь стекло я всматривалась в ленту шоссе.

— Оливье передает тебе свои соболезнования.

— Поблагодари его... Джудит сказала, вы теперь живете вместе.

— Мы переезжаем через четыре дня.

Тишина и осознание реальной ситуации обрушились на нас. Я забилась в глубь сиденья, истерзанная противоречивыми эмоциями. Чуть позже Эдвард остановился на площадке для отдыха.

— Мне нужна чашка кофе. Тебя, думаю, можно не спрашивать, хочешь ли...

Он вышел из машины, поднял воротник куртки. Я вскоре последовала за ним и отыскала его у автомата с напитками. Эдвард зевал так, что казалось, вот-вот вывихнет челюсть, и ерошил волосы. Он протянул мне пластиковый стаканчик, пока второй наполнялся.

— Поехали? — спросил он, получив свой кофе.

Моего ответа он не ждал. На улице Эдвард подставил лицо дождю. Так не могло продолжаться.

— Сколько ночей ты не спал?

— Три. Ночами я сижу с Декланом.

— Дай мне ключи. Я поведу, а ты пока подремлешь. Это не обсуждается. Дорогу я знаю, левостороннее движение для меня не проблема, а тебе нужно передохнуть.

Он отпил глоток кофе, тряхнул головой и отдал мне ключи. Когда мы сели в машину, на нас напал безумный нервный смех: я была так далеко от руля, что не могла до него дотянуться. Мы отрегулировали сиденье под мой рост, я включила зажигание и повернулась к Эдварду:

— А теперь спи.

Он нажал на кнопку — зазвучал последний альбом группы *Alt-J* — и сел поглубже в кресло. Поднял руку, пальцы потянулись к моей щеке, но остановились на полпути. Я включила скорость, он продолжал смотреть на меня. Через несколько минут, когда мы выехали на шоссе, он пробормотал: "Спасибо… Диана".

Боковым зрением я отметила, что он сразу уснул, повернувшись лицом ко мне. Впервые я почувствовала, что защищаю его, забочусь о нем. Я бы хотела ехать и ехать без конца, чтобы Эдвард наконец отдохнул. Я знала, что он спокоен — его лицо разгладилось. Он захрапел, я улыбнулась. Значит, его сон глубок. Уже хорошо, ему необходимо восстановить силы. А меня ждали два часа размышлений. Долгая езда всегда так на меня действовала. Разве в Париже такое возможно?! Я качу по пустынному шоссе, музыка обволакивает меня, я сосредоточена на управлении машиной и ощущаю себя внутри большого прозрачного и непроницаемого шара. Как же не воспользоваться ситуацией и не покопаться в глубинах собственной души, к чему меня настойчиво подталкивает все происходящее? Я-то считала, что проблема с Эдвардом улажена... Какой же я была дурой! Место, которое он занимает в моей жизни, гораздо значительнее, чем я готова признать. Как вести себя в ближайшие дни? Отпустить чувства на волю? Прислушаться к себе? Возвести барьеры? Защитить мою заново налаженную жизнь от вторжения мужчины, спящего рядом со мной? А может, притвориться наивной и сделать вид, будто все это — только из-за нашей эмоциональной уязвимости, вызванной смертью Эбби?..

Переваливая через последний холм и спускаясь к Малларанни, я так и не приняла решения, а Эдварда уже пора будить. Я тихонечко окликнула его, он что-то недовольно проворчал во сне, перед тем как открыть глаза. Первое побуждение: закурить.

— Мы приехали, — констатировал он еще более хриплым, чем всегда, голосом.

— Да.

— Ты ночуешь у меня.

— Что?

— Эбби дома, и я подумал, что ты, возможно, не захочешь...

Это действительно было выше моих сил.

— Я отдам тебе свою спальню, а сам я по ночам обычно кочую между креслом у Деклана и диваном в гостиной.

— Тебе же будет неудобно, разве нет?

— Вопрос надо переадресовать тебе. Если не хочешь, можем найти комнату в отеле.

В этот момент я парковалась возле его коттеджа.

— Учитывая, который сейчас час, я вряд ли попаду в отель. И... я предпочитаю остаться у тебя.

Да, я подвергала себя серьезному испытанию. А может, просто шла на поводу у своего глубинного желания... Когда мы входили в коттедж, Джудит, крадучись, спустилась по лестнице.

— Он спит, — сказала она брату.

— Отнесу наверх вещи.

Он поднялся на три ступеньки с моим чемоданом в руках, потом обернулся:

— Спасибо, что дала поспать... Чувствуй себя как дома. Спокойной ночи!

Я слабо улыбнулась ему, и он исчез за дверью. Я подошла к Джудит, обняла ее и долго не отпускала.

— Как ты себя чувствуешь?

— Все в порядке, держусь. И Джек такой сильный... сама завтра увидишь... Он необыкновенный... А ты как?

— Я обещала Эбби, что не расклеюсь, и рассчитываю выполнить обещание.

— Хорошо, что ты здесь... Ради нее собралась вся наша семья. Мне пора. Хочу убедиться, что Джек отдохнет.

Она надела пальто. Потом взглянула на меня вопросительно, с легкой кривоватой усмешкой.

— А то, что ты спишь у моего брата... ты знаешь, что делаешь?

— Нет, не знаю, Джудит... не знаю.

Она похлопала меня по плечу, чмокнула и умчалась. Гостиная была погружена в полутьму, я погасила свет на крыльце и поднялась на второй этаж. Из-под двери Деклановой спальни пробивалась полоска света. Эдвард поставил мой чемодан в свою спальню. Я уже когда-то там ночевала: тогда мне было совсем плохо, а наши отношения с Эдвардом находились на пике взаимной ненависти. Это время казалось теперь таким далеким...

Я надела майку и трусы вместо пижамы и села на кровать Эдварда. Просидела не меньше получаса, потом натянула свитер и подошла к закрытой двери. Прислонилась лбом к деревянной панели, затем, грызя ногти, отошла. Я повторяла эти действия несколько раз, пока не решилась открыть дверь и выйти в коридор. Последняя остановка — у комнаты Деклана. Последняя возможность вернуться назад. Я осторожно толкнула дверь. Эдвард сидел в кресле и не отводил глаз от сына. Он заметила меня. Я сделала ему знак не двигаться и молчать, подошла к кровати Деклана. При виде его я ощутила мимолетную радость. Он крепко спал, прижав к себе материнский шарф. Ничто не мешало мне погладить его по макушке и коснуться губами лба — мне так этого хотелось. Мое сердце затрепетало. Поцелуй щекотнул его, но не разбудил. Потом я села на пол рядом с креслом Эдварда, подняв колени и положив на них подбородок. И стала, как и он, охранять сон этого ребенка. В горе от утраты Эбби он воплощал жизнь. Через несколько минут я прижалась к ноге Эдварда. Периодически его рука скользила по моим волосам. Я была словно в тумане.

Наверное, через час Эдвард осторожно отодвинулся, встал и помог мне подняться, потянув за руку. Заставил покинуть комнату сына и повел к дожидавшейся меня постели. На пороге спальни он остановился, не выпуская мою руку.

— Постарайся поспать, — сказал он.

— А ты?

— Пойду прилягу на диване.

Все так же держа меня за руку, он сделал шаг ко мне и приложил губы к моему виску. Поцелуй получился долгим. Потом он сбежал по лестнице вниз. Я закрыла дверь, скользнула под одеяло и заснула, завернувшись в его простыни, вдыхая его запах.

Я начала просыпаться, и тут дверь с грохотом распахнулась.

— Диана! Ты вернулась! — закричал Деклан, прыгая на кровать.

Я еле успела выпрямиться, как он бросился на меня и повис на шее:

— Я так рад!

— Я тоже, герой.

Это была истинная правда; ни капли страха, никакого желания оттолкнуть его, только чувство счастья, когда я прижимала его к себе.

— Как у тебя дела? — спросила я.

— Все хорошо… Пошли спустимся. Папа сделал тебе кофе.

Он тянул меня за руку.

— Приму душ и приду к вам.

— Договорились!

Он умчался, на бегу громко повторяя отцу мои слова. Он был босиком и в пижаме, и я еле удержалась, чтобы не велеть ему надеть носки и свитер.

Двадцать минут спустя я зашла в гостиную и испытала шок при виде Эдварда в костюме и при галстуке. Я застыла на месте с открытым ртом и на мгновение забыла об Эбби. На Эдварде, всегда неряшливом, в криво застегнутой рубашке, вылезающей из джинсов, темно-серый костюм сидел как влитой, а галстук был завязан идеально. В этом наряде он выглядел еще более импозантно. Наверное, у меня было очень уж комичное выражение лица, потому что он засмеялся. Я медленно подходила к нему, пока он наливал кофе. Я схватила чашку, отпила глоток, не отрывая от него глаз. Он продолжал улыбаться, задумчиво скребя щетину на подбородке:

— Я тут подумал, может, побриться...

— Нет! — Это был крик души.

— Ты будешь не ты, ей бы не понравилось, — уже спокойнее произнесла я, зная, что в данном случае имею право говорить от имени Эбби.

Я отошла подальше от него и от его кривой улыбки, которая, казалось, прилипла к его губам, и присоединилась к Деклану и Постману Пэту на диване. Деклан свернулся клубочком и прижался ко мне:

— На сколько ты останешься у нас?

— На два дня.

— Всего!

— Но это лучше, чем ничего...

— Да, — вздохнул он.

Эдвард окликнул меня и сделал знак, приглашая выйти с ним на улицу. Передышка близилась к концу.

— Мне нужно к Эбби и Джеку, побудешь пару часов с Декланом?

— Конечно, я займусь им, помогу одеться. На когда назначена церемония?

— На два часа дня. До этого будет обед у Эбби и Джека. Придешь?

— Если можно, я предпочла бы присоединиться к вам в церкви.

— Понимаю.

Присутствие на похоронах — нелегкое испытание, и я должна в одиночку подготовиться к нему. Эдвард погасил сигарету, заглянул в дом попрощаться с Декланом и ушел.

Время, проведенное вдвоем с Декланом, промчалось незаметно. Я помогла ему как следует умыться, одеться, выслушала подробный рассказ обо всех школьных событиях. Мы играли и смеялись в гостиной, когда вернулся Эдвард. Его черты еще больше заострились, лицо было серьезным. Он постарался улыбнуться сыну, а я поняла, почувствовала, что он только что пережил — Эбби положили в гроб. Наши взгляды встретились, а потом я уставилась в потолок, чтобы помешать пролиться слезам.

— Кофе остался? — спросил он.

— Да.

Я встала с дивана и подошла вместе с ним к кухонной стойке. Он сжал кулаки так, что на руках вздулись вены — так внешне проявлялось его страдание. Я легонько погладила его по ладони.

— Все будет хорошо... — прошептала я.

Он осторожно обнял меня за талию, привлек к себе и, вздыхая, зарылся лицом в мои волосы. Мы были беспомощны перед тем, что на нас обрушилось и уничтожало старательно возведенные защитные барьеры. В комнате вдруг воцарилась полная тишина, мой взгляд скользнул в сторону и упал на Деклана, который краем глаза следил за нами. По всей вероятности, Эдвард тоже это заметил, потому что резко отодвинулся от меня.

— Деклан, пошли, Джек и Джудит ждут нас.

— А Диана...

— Встретимся в церкви.

— Обещаешь?

— Я обязательно там буду.

Он пошел за отцом, но продолжал коситься на меня через плечо. Эдвард потрепал его по волосам, призывая глядеть под ноги. Входная дверь захлопнулась. Я поднялась в спальню, чтобы надеть более подходящее к ситуации черное платье.

Ближе к часу я заставила себя проглотить кусок хлеба, чтобы желудок не оставался совсем пустым, а я не свалилась в обморок. В животе образовался тугой комок, но паники я не чувствовала. Я вышла на террасу покурить и взяла с собой телефон. Оливье снял трубку:

— Я ждал твоего звонка. Что там у тебя?

— Скоро пойду в церковь. Держусь.

Я не знала, что еще сказать. Казалось, молчание длится целую вечность.

— Хочешь, сегодня вечером я схожу проверю, как Феликс справляется?

— Если не трудно… Ты пакуешь вещи?

— Я почти закончил со своими… Могу взяться за твою квартиру, облегчить тебе задачу.

— Не надо, у меня не так много всего…

— Пришел пациент, мне пора прощаться.

— Хорошей тебе работы.

— Звони, когда сможешь.

— Да… Целую.

Я повесила трубку и шумно выдохнула воздух. Когда я здесь, расстояние между нами катастрофически увеличивается, я с космической скоростью отдаляюсь от него. Наш переезд теперь в тысяче световых лет отсюда, и все, что важно для меня, находится совсем в другом месте. Я посвистела, подзывая Постмана Пэта, который носился по пляжу. Нужно было запереть его в доме. Когда он вернулся и улегся на диван, я надела пальто и шарф. Зонтик не понадобится — час назад вышло зимнее солнце и с тех пор сияет на голубом холодном небе.

За десять минут я дошла до церкви в центре кладбища. На участке газона, увенчанном кельтским крестом, вырыта могила, в которой упокоится Эбби. Похоронно звонит колокол, в моей душе нарастает страх. Как выдержать эти минуты, точнее, как пережить их? Не переоценила ли я свои силы? Последний раз, когда я была вот так на кладбище, хоронили моего мужа и дочку. Страх заставил меня зайти через боковую дверь и устроиться на малозаметном месте в глубине церкви. Здесь присутствовала вся деревня, а еще группа друзей Джудит, все те, с кем я познакомилась на праздновании Нового года. Со своего места я видела Джека, Эдварда, Деклана и Джудит. Как и брат, она очень постаралась с одеждой. Впервые на моей памяти Джудит выглядела хрупкой и совсем маленькой в темно-сером расклешенном платье-сарафане, в черной шали и с рыжей гривой, затянутой в строгий хвост. Мне хотелось подойти к ней, прижать к груди, подбодрить, но я запретила себе приближаться к ним. Эбби была уже здесь, лежала в гробу, усыпанном цветами. Когда я смотрела на гроб, мне не казалось, что передо мной всего-навсего деревянный ящик: я ощущала присутствие Эбби, она была с нами. В какой-то момент я обратила внимание на Джека: он встал и через всю церковь направился ко мне.

— Что ты тут делаешь одна, спрятавшись? Эбби это не понравилось бы. Пойдем.

Мощной рукой он обнял меня за плечи и провел по нефу до первого ряда скамей. Джудит повисла у меня на шее, заливаясь слезами. Я тоже наконец-то перестала сдерживаться, и мне стало легче.

— Нам от нее попадет, если мы и дальше будем так себя вести! — сказала Джудит, одновременно смеясь и рыдая.

Я вынула из кармана платки, вытерла сперва ее щеки, потом свои и поправила непокорную прядь, выбившуюся из ее прически. Затем она подвинулась, освобождая мне место, я прошла мимо Деклана, вцепившегося в отца, и села с другой стороны от Эдварда, который взял меня за руку и переплел наши пальцы. Церемония началась. Я знала, что в Ирландии церковь сильна, и все равно религиозный пыл присутствующих поразил меня. Однако я не чувствовала себя неловко, хоть и не верила ни во что и была воспитана стопроцентной атеисткой. На мессе я побывала лишь дважды за всю жизнь: на собственной свадьбе и на похоронах Колена и Клары — свекор со свекровью были верующими.

Собравшиеся пели. Пение было красивым, почти радостным, и в церкви царила атмосфера глу-
бочайшего покоя. Смерть — это грустно, но еще
не окончательный итог. Это как-то утешило меня,
и в памяти всплыли слова Эбби: "Я позабочусь
о них". Эдвард единственный не пел, но его хриплый голос звучал в моих ушах во время каждой мо-
литвы. Временами он гладил большим пальцем тыль-
ную сторону моей ладони. Когда пришло время идти
к причастию, он выпустил мою руку, чтобы принять
его вслед за Джеком и Джудит. Я осталась сидеть,
и Деклан вскарабкался ко мне на колени и ухватился
за мою шею. Я тихонько баюкала его. Вернулся Эдвард, сел рядом, положил руку мне на плечо. Мы
были будто единое существо: Деклан, плачущий
у меня на коленях, я с головой на плече его отца
и Эдвард, касающийся щекой моих волос.

Настал момент, которого я боялась: прощание
с телом. Мимо меня поочередно проходили все присутствующие в церкви. Я еще теснее прижалась к Эдварду, а он крепче обхватил меня. Когда настала очередь
семьи — а я считалась ее членом, — он встал, забрал
у меня Деклана и протянул руку, за которую я тут же
ухватилась. Перед гробом он попрощался с тетей, как
того требует церковный ритуал. Потом шагнул вместе
с Декланом в сторону, чтобы уступить мне место, но
продолжал держать меня за руку. Я положила свободную ладонь на дерево гроба и с легкой улыбкой ласково погладила его. Полились слезы, я мысленно извинилась за них перед Эбби и вверила Колена и Клару

ее заботам. И этим простым жестом, в котором я когда-то отказала моим любимым, я отпустила их — теперь я знала, что они в безопасности, особенно моя дочь. Благодаря Эбби и тем сигналам, которые она так долго мне посылала, я наконец-то приняла мысль о том, что Клара всегда будет во мне, а я имею право жить полной жизнью, не предавая тем самым мою дочку и не забывая ее. Больше мне не нужно отрицать часть самой себя. Я ощутила губы Эдварда на своих волосах и заглянула ему в глаза. Мощь соединившего нас потока чувств зашкаливала. Деклан смотрел на нас в упор. Я провела рукой по его щеке. Потом мы вернулись на свои места. Церемония завершилась пением гимна *Amazing Grace*, потрясшим меня до глубины души. В это мгновение мне захотелось стать верующей. Присутствующие начали покидать церковь. Мы последними вышли на свежий воздух. Погода была отличная: яркое зимнее солнце, бодрящий холод, ветер, гонящий прочь несчастья. Деклан дернул меня за руку, ему нужно было что-то сказать мне на ухо:

— Я хочу уйти, Диана.

Его испуганные глазенки перебегали от могилы к могиле.

— Попробую что-нибудь сделать, — ответила я.

Мне не пришлось искать его отца, он стоял рядом.

— Деклан хочет уйти прямо сейчас.

— Но это невозможно!

— Пожалуйста, позволь мне увести его...

Он бросил на сына мрачный и в то же время ужасно обеспокоенный взгляд. Я продолжала настаивать. Во мне проснулся инстинкт львицы. Деклан, стискивавший все сильнее мою руку, и так уже достаточно настрадался.

— Он слишком хорошо для своего возраста знаком с жестокостью жизни. Подумай, что он пережил несколько месяцев назад, на заставляй его еще раз наблюдать, как под землей исчезает любимый человек... Ну пожалуйста... Я побуду с ним, а ты позаботься о сестре, она в тебе нуждается, — добавила я, обернувшись к стоящей в одиночестве Джудит.

Он присел на корточки возле сына.

— Уйдешь с Дианой, только попрощайся с Джеком.

Мы расцеловались с Джеком, он счел нашу с Декланом прогулку хорошей идеей. Сила его духа впечатляла и была заразительной. Разве можно было позволить себе раскиснуть на фоне такого величия? Перед тем как уйти, я еще раз прижала Джудит к себе, а Деклан продолжал судорожно цепляться за мою руку. Эдвард проводил нас до решетчатых ворот кладбища.

— Я приду за вами позже, — с легкой паникой в голосе пообещал он.

Я провела ладонью по его щеке, он зажмурился.

— Скоро увидимся.

Он развернулся, закинул руку сестре на плечи и повел ее к могилам. Скорее всего, здесь покоились и их родители.

Не сговариваясь, мы направились к пляжу, выпустив Постмена Пэта, бурно выражавшего радость от встречи с маленьким хозяином. Я нашла удобный камень, села на него, закурила и стала наблюдать за тем, как они играют. Все-таки дети наделены потрясающей способностью забывать и восстанавливаться. Меньше четверти часа назад Деклан был напуган, травмирован, с полными слез глазами. Понадобилось лишь согласие его отца, моя рука и присутствие пса, чтобы его успокоить. Набегавшись, он сел рядом со мной:

— Почему все умирают, Диана?

Почему? Если бы я знала, подумала я.

— Но ты же не один, Деклан, у тебя есть папа, Джек и тетя Джудит.

— Да, но ты ведь опять уедешь. Мне очень нравится, когда ты здесь.

— Мне тоже хорошо здесь, с вами, но я не живу в Малларанни.

— Плохо!

Я вздохнула вслед за ним и взяла его на руки. Теперь я могла бы ответить Феликсу: да, я люблю этого "мальчишку". Даже слишком.

— Не замерзли? — спросил Эдвард.

Мы не слышали, как он подошел и сел рядом. Несколько секунд он не отрывался от моря, потом посмотрел на нас. Его веки покраснели.

— Пошли греться к Джеку и Эбби, пока вы окончательно не заморозились. Ждут только вас. Ты, наверное, проголодался? — спросил он сына.

Деклан помчался как стрела, рассмешив нас. Эдвард помог мне встать.

— Ты как? — обеспокоенно спросила я.

— Уже лучше. После того, как я снова увидел вас обоих. Спасибо, что заставила меня избавить Деклана от этого испытания, я просто хотел, чтобы вы были рядом, и это чистый эгоизм.

— Нет, все нормально. Но ты все же предпочел, чтобы было хорошо твоему сыну. И вот теперь мы все встретились.

Когда пятнадцать минут спустя мы оказались в доме Джека и Эбби, я убедилась, что нас действительно ждали. И встретили разноголосыми возгласами: "А вот и они!"

Нас окутала атмосфера любви, человеческого тепла и взаимной поддержки. Все тихо беседовали, похлопывали друг друга по спине или брали за руку, обменивались воспоминаниями об Эбби. С нежностью вспоминали ее щедрость, жизнелюбие, которые сыграли свою роль в жизни каждого из собравшихся. Она была и матерью, и бабушкой, и лучшей подругой, и заботливой нянькой… Джек, полный доброжелательности ко всем, подхватил факел, выпавший из ее руки, и не позволял себе утонуть в волнах горя. Он был гордым человеком, однако я несколько раз замечала его отсутствующий взгляд и ладонь, рассеянно гладившую плед, который покрывал кресло-качалку жены. Я вспоминала чувство одиночества, захлестнувшее меня после смерти Колена и Клары, и одновременно черную ярость и нежелание признавать реальность случившегося. Все приходят к тебе, стараются утешить, а это ничего не меняет, внутри все равно пустота. Я помогала Джудит на кухне, мы обе были девушками из этой семьи. Деклан носился между гостями, хватал со стола кусочек то одного, то другого, но при этом не забывал время от времени проверять, на месте ли я. Мы с Эдвардом постоянно искали друг друга глазами. Я все время чувствовала, что он где-то рядом, и испытывала неодолимую потребность удостовериться, что с ним все в порядке. Я ни на секунду не почувствовала себя чужой среди этих людей, оплакивающих близкого человека. Напротив, мне давали понять, причем самым естественным образом, что, хочу я того или нет, но я уже стала частью этого сообщества, и не важно, какой у меня почтовый адрес. Горе навсегда соединило меня с Джеком, Джудит, Декланом и Эдвардом. Для всех жителей деревни я была членом семьи. Я читала это на их лицах, делала вывод из того, как они ко мне обращались, как беспокоились обо мне. Какую-то часть меня такое признание, новое для меня чувство принадлежности к клану наполняло счастьем, тогда как другую погружало в печаль. Потому что я не живу и никогда не буду жить здесь, рядом с ними. Я только что все заново выстроила в Париже, где меня ждут Оливье, Феликс и "Счастливые люди". Я проведу с этой семьей только краткие мгновения, безусловно прекрасные, но от этого не менее эфемерные. Мой взгляд остановился на Эдварде, который что-то обсуждал с местной семейной парой. На мгновение мое дыхание прервалось. Смогу ли я еще два дня подавлять свои чувства к нему? Нужно было срочно выйти подышать, и я осторожно выскользнула на улицу. Я курила, надеялась, что сигарета поможет мне расслабиться, и старалась справиться с гулкими толчками сердца. Было темно, холод пронизывал до костей, и я обхватила себя руками, стараясь согреться. В глубине души я ждала чего-то, и это что-то случилось.

— Все в порядке? — услышала я Эдварда, который присоединился ко мне.

Вместо ответа я пожала плечами. Он закурил сигарету и, не вынимая ее изо рта, снял пиджак и накинул мне на плечи. Я подняла к нему глаза, он уставился в одну точку прямо перед собой. Мы стояли и курили, не говоря ни слова. А зачем?

Вернувшись в дом, я увидела лежащего на диване Деклана, он изо всех сил старался помешать ресницам захлопнуться.

— Обрати внимание на сына, он спит на ходу... Я могла бы вернуться с ним, а ты побудь еще с Джеком и Джудит.

— Уверена?

Я не стала отвечать, а просто подошла к Деклану и предложила ему пойти домой. Он сразу согласился. Я взяла его за руку, и мы пошли прощаться с Джеком и Джудит. Деклан их поцеловал, а Джек сжал меня в объятиях.

— Придешь ко мне завтра? — спросил он.

— Естественно. До отъезда обязательно побуду здесь, у тебя.

— О... я не задержу тебя надолго, предпочитаю, чтобы ты побольше времени уделила им. — Он кивнул в сторону отца и сына.

Я улыбнулась Джеку и обменялась поцелуями с Джудит. Потом снова подошла к Эдварду, который собирался отвезти нас в коттедж и вернуться на поминки. Владелец паба с женой остановили нас и предложили подбросить по пути. Наш постоянный водитель уже был готов возразить, но я его опередила:

— Большое спасибо, очень мило с вашей стороны. — Затем обернулась к Эдварду, еще более насупленному, чем обычно. — Не беспокойся, скоро увидимся...

Он вздохнул, смирился, но настоял на том, что проводит нас до машины. Деклан первым взобрался на заднее сиденье, пока Эдвард благодарил соседей, вызвавшихся помочь. Он сделал это быстро и подошел ко мне, когда я еще не села в машину. Я догадывалась, что у него на уме.

— Мы никуда не денемся, вернемся к тебе и ляжем спать. Побудь с Джеком и Джудит. С твоим сыном и со мной все в порядке.

Он обхватил меня за талию и долгим поцелуем прильнул к виску.

— Встретимся дома, — прошептал он мне в волосы.

Эта коротенькая фраза всколыхнула все чувства и желания, затаившиеся во мне.

Нас с Декланом доставили по назначению. За дверью отчаянно лаял Постман Пэт. Бедное животное...

Я выпустила его, он выразил свой восторг по поводу нашего возвращения, а затем большими прыжками умчался на пляж, погруженный в непроглядную тьму. Я проводила Деклана на второй этаж, он молча облачился в пижаму и пошел чистить зубы, пока я перестелила ему постель. Потом вернулся в спальню, все так же молча забрался под одеяло. Его личико было встревоженным и замкнутым.

— Я побуду с тобой.

Я стала на колени, погладила его по волосам, напевая колыбельную, а он вдыхал запах матери, хранимый шарфом. День был очень утомительным, и у него не осталось сил на борьбу со сном. Я положила голову на подушку и стала смотреть на него. Этот ребенок был таким мужественным, он терпел испытания, которым его подвергала жизнь, и почти не роптал! Мне так хотелось защитить его, подарить беззаботность детства. Взрослые должны сделать все возможное, чтобы на него больше не обрушились никакие беды. Когда я убедилась, что он крепко спит, я тихонько ушла. Спустилась на первый этаж, открыла дверь покорно дожидавшемуся у порога Постману Пэту. Я тоже решила поспать или хотя бы полежать, не поддаваясь сну, на случай если Деклан неожиданно проснется. Пес поднялся за мной на второй этаж. Но в постели меня ждал сюрприз — маленький гость, который умудрился, не проснувшись, добраться до спальни отца и взгромоздиться на его кровать. Он распахнул глаза и виновато уставился на меня:

— Можно мне поспать с тобой?

Я ласково улыбнулась ему:

— Дай мне пять минут, я сейчас приду.

Он вздохнул с облегчением, а я закрылась в ванной. Я уже собиралась вернуться в спальню, но присела на минутку на край ванны. С этим ребенком я нарушала все границы, сметала все свои укрепления, больше не изображала дальнюю знакомую семьи, и ничего не могла с этим поделать.

Постман Пэт растянулся рядом с кроватью, а Деклан дожидался меня в тепле, под одеялом. Я оставила дверь открытой, а ночник включенным и тоже легла. Он прижался ко мне, я обхватила его руками, поцеловала в лоб. Ему не понадобилось много времени, чтобы улететь в царство Морфея. Я вдыхала его запах и думала о Кларе. Я была уверена, что она не обижается на меня, знает, что ее никто не заменит, она навсегда останется моей дочкой, самым прекрасным подарком, сделанным мне жизнью. Но мое сердце открыто и для других детей, в нем уйма места, я люблю детей, всегда их любила и мечтала о большой семье, хотя сама была единственной дочерью. Деклан сделал то же, что его отец год назад, — залечил мою рану, самую, наверное, тяжелую, болезненную и глубокую. Его отчаяние, сама его личность потрясли меня, помогли понять, что нельзя бороться с собой, с тем, что я есть на самом деле. Да, мой материнский инстинкт погружен в летаргический сон, но мать во мне не умерла. Тоска по Кларе всегда, до последнего вздоха будет пронизывать мою душу, но я уже научилась жить с этой болью и продолжу учиться всю жизнь. Есть человек, который это знал задолго до меня. Феликс. В моих ушах звучала его фраза, произнесенная самым обыденным тоном: "Однажды тебе снова захочется ребенка!" А я, упрямая, замкнувшаяся на своих черных мыслях, убеждала его в обратном.

Временами я дремала. Где-то вдали хлопнула входная дверь. Постман Пэт поднял голову, но я велела ему лежать. Его хвост отчаянно колотил по полу — вернулся хозяин. Эдвард остановился перед открытой дверью спальни и увидел нас, сына и меня, в своей постели. Он долго стоял на пороге, разглядывал нас. Потом подошел. Оперся коленом и руками о матрас.

— Я отнесу его, — тихо сказал он.

— Нет, не надо, разбудишь, ему тут хорошо.

— Это неправильно, он не должен здесь находиться.

— В обычной ситуации я бы с тобой согласилась, но сегодня он имеет полное право.

Я села на кровати. Мы с вызовом уставились друг на друга. Я не сдамся.

— Папа, — пробормотал Деклан, не просыпаясь.

Наше внимание переключилось на него. Он приподнял ресницы, отодвинулся от меня и посмотрел на нас.

— Ты должен вернуться в свою комнату, — настаивал Эдвард. — Оставь Диану в покое, я посижу с тобой.

Деклан повернулся на другой бок и потерся лицом о подушку.

— Спать все вместе, папа...

Я не была готова к такому, Эдвард тоже! Деклан ухватил его за руку.

— Ложись, папа, — прошептал он.

Эдвард заглянул мне в глаза, я вытянулась на кровати и улыбнулась. Он выпустил руку сына и сел на кровать спиной ко мне. Уперся локтями в колени и обхватил голову руками. Я знала, о чем он думает, и сама думала о том же. Мы хотим защитить, успокоить ребенка, но это заставит страдать нас самих, загонит в невозможную, невыносимую ситуацию.

— Ты уверена? — одними губами спросил он.

— Ложись.

Он поднялся, обошел комнату и выключил свет. Я слышала, как он движется в темноте, раздевается. Потом матрас прогнулся, а одеяло зашевелилось. Я повернулась на бок лицом к нему. Постепенно привыкла к темноте и разглядела его: он закинул руку за голову и изучал меня. Мне было хорошо, спокойно, я держала в объятиях маленького человечка и смотрела на большого мужчину, из-за которого забывала обо всем на свете. Я заснула, продолжая глядеть на него и даже не заметив, как опустились веки.

Глава десятая

К то-то постукивал меня по руке. Я приоткрыла один глаз: Деклан старался меня разбудить, и ему это удалось. На животе я чувствовала тяжесть: рука Эдварда прижала к матрасу и сына и меня, а ее хозяин крепко спал.

— Пошли завтракать, — шепнула я Деклану. — Не шумим, даем папе поспать.

Я как можно осторожнее приподняла руку Эдварда, придавившую мою талию. Высвободившись, Деклан тут же вскочил с постели. Постман Пэт, пролежавший не шевелясь всю ночь, тоже встал и замахал хвостом. Я выбралась из-под одеяла и не дала псу подойти к постели и разбудить хозяина. Деклан с Постманом Пэтом помчались вниз по лестнице. Перед тем как закрыть дверь, я в последний раз бросила взгляд на Эдварда — он улегся поперек кровати, голова переместилась на мою подушку. Как я смогу забыть эту картину?

Деклан ждал меня, усевшись на табурет у стойки. Я натянула валявшийся на диване свитер его отца и взялась за приготовление завтрака. Через десять минут мы устроились рядом. Деклан с тостами, намазанными маслом и джемом, и с горячим шоколадом, я с чашкой кофе. Я втягивалась в жизнь семьи, без оглядки, без опасений, не раздумывая.

— Что мы сегодня будем делать? — спросил он.

— Я пойду в гости к Джеку.

— А потом? Останешься с нами?

— Конечно, не волнуйся.

Он на время успокоился. Поев, Деклан спрыгнул с табурета и включил телевизор. Я налила себе еще чашку кофе, подхватила сигареты и телефон и, несмотря на холод, устроилась на террасе. Мне стало не по себе, когда я увидела количество непринятых вызовов и эсэмэсок от Оливье. Я почти сутки не подавала признаков жизни и ни единого раза не вспомнила о нем. Дрожащей рукой я вынула сигарету из пачки, закурила и набрала номер. Он сразу ответил.

— Господи! Диана, я так волновался за тебя!

— Извини... вчерашний день был очень тяжелым...

— Я все понимаю... но не надо больше так долго молчать...

Я коротко рассказала ему, как прошли похороны и поминки, ни словом не обмолвившись ни о своих чувствах, ни о пережитых потрясениях. И сразу перевела разговор на Париж и "Счастливых людей". На долю секунды мне показалось, что он рассказывает не о моей жизни, а о чужой, не имеющей ко мне никакого отношения. Передо мной, поглощая все мое внимание, бушевало море, а он в это время объяснял, что Феликс гордится выручкой последних двух дней и с головой погружен в организацию очередного тематического вечера. Все это не производило на меня особого впечатления, не радовало и не воодушевляло. Я вставляла краткие реплики типа "отлично". Тут за моей спиной открылась стеклянная дверь на террасу, и я обернулась в полной уверенности, что увижу Деклана. Я ошиблась. Ко мне присоединился Эдвард с чашкой кофе и сигаретами, его волосы были влажными после только что принятого душа. Мы встретились глазами.

— Оливье, мне пора...

— Погоди!

— Да.

— Ты завтра возвращаешься? Ты действительно вернешься?

— М-м-м... но... почему ты спрашиваешь?

— Ты не останешься там?

Я отвечала Оливье, но лицо Эдварда, как магнит, притягивало меня. Он не слышал, о чем мы говорим, но по его напряжению я догадалась: он понимает, как это важно. Мои глаза затуманились. Мое сердце разорвется, как бы все ни обернулось. Что я могу сказать Оливье? Возможен единственный ответ:

— Ничего не изменилось, я прилетаю завтра.

Эдвард глубоко вздохнул и подошел к балюстраде, остановился на некотором расстоянии от меня, облокотился о перила. Через стекло я видела Деклана, играющего со своими машинками. Собака лениво следила за ним краем глаза. Эдвард, чувствовала я, был совсем рядом и так далеко от меня. Завтра я возвращаюсь в Париж.

— Прекрасно, — услышала я ответ Оливье где-то вдали.

— Не надо меня встречать, ни к чему… Целую.

— Я тоже.

— До завтра.

Я отключилась. Стоя спиной к морю, закурила очередную сигарету. Ни один из нас не произнес ни слова. Я загасила окурок и решила вернуться.

— Пойду оденусь, мне нужно к Джеку, — сообщила я Эдварду, держась за ручку двери.

Я ничего не сказала Деклану, взбежала на второй этаж, вытащила из чемодана чистую одежду и заперлась на два оборота в ванной.

Здесь все кричало о недавнем присутствии Эдварда: зеркало, запотевшее от душа, который он принимал, запах его мыла. Я долго стояла под горячими струями воды, вцепившись зубами в кулак, по щекам текли слезы. Мои желания и эмоции не должны приниматься в расчет, только чувство ответственности и здравый смысл имеют значение. Мне оставалось провести с отцом и сыном сутки. После этого я улечу.

Когда я покинула свое убежище, голоса Деклана и Эдварда раздались совсем рядом, из Эдвардова кабинета. Я подошла, оперлась о косяк открытой двери. Они устроились перед компьютером, Эдвард ретушировал фотографии и спрашивал Деклана о его мнении. Между ними установился тесный контакт, они стали единой командой. Раньше я ни разу сюда не заходила. Мое внимание зацепил не царящий в этой комнате бардак, а черно-белый снимок, приколотый кнопкой к стене над экраном. Судя по обтрепанным углам, его наверняка часто брали в руки. На снимке была витрина "Счастливых людей", и сквозь нее виднелась я, улыбающаяся, с мечтательным взором. Фото, снятое без ведома модели, — это очевидно. Когда он его сделал? Когда приходил повидаться? Исключено: я все время наблюдала за улицей и обязательно заметила бы его. Значит, он был возле кафе в другой день, но не захотел встречаться со мной. Его слова, сказанные давно, несколько месяцев назад, все еще звучали у меня в ушах: "В моей жизни больше нет места для тебя".

— Диана! Ты пришла!

Голос Деклана заставил меня вздрогнуть и подсказал, что сейчас не время требовать объяснений.

— Чем вы занимаетесь? — спросила я, зайдя в комнату и останавливаясь на пороге.

— Мне нужно сделать небольшую работу, — ответил Эдвард.

— Деклан, хочешь пойти со мной в гости к Джеку?

— Да!

— Беги одевайся!

Он со всех ног рванул в спальню. А я никак не могла покинуть эту комнату, но упорно старалась не глядеть на Эдварда.

— Работай спокойно. Придешь к нам, когда освободишься.

Я не увидела, как он встал из-за компьютера, и вдруг почувствовала, что он рядом.

— Когда завтра твой рейс?

— В два часа... Давай не будем об этом, ладно? Лучше порадуемся сегодняшнему дню.

Я подняла голову, мы напряженно смотрели друг другу в глаза, наше дыхание ускорилось, и я поняла, что хочу большего в то короткое время, которое нам осталось. Наши тела соприкоснулись.

— Все! Я готов!

Я резко отпрянула, дистанция между нами была восстановлена.

— Пойдем! — позвала я Деклана чуть громче, чем следовало.

И вышла из комнаты, пошатываясь. Деклан попрощался с отцом, мы спустились вниз, надели пальто, шарфы и шапки — сегодня плохая погода.

— Вперед!

Я свистнула Постмена Пэта, который тут же прибежал трусцой, открыла входную дверь, и Деклан просунул свою маленькую ладошку в мою руку.

— До скорого, — раздалось за моей спиной.

Я оглянулась: Эдвард наблюдал за нами, стоя на лестнице. Мы обменялись улыбками.

На дорогу, которая обычно занимала минут двадцать, потребовался почти час. Я бегала с этим мальчишкой, играла с ним, смеялась вместе с ним, как если бы хотела навсегда запечатлеть его в своей памяти и никогда не забывать его силу и инстинкт выживания, чтобы питаться этими воспоминаниями. Или просто потому, что я его полюбила и скоро буду вынуждена покинуть. Как такое вынести?

Вот так, бегом, мы влетели в садик Эбби и Джека. Еще долгое время я не смогу думать об этом доме, не связывая его с Эбби. Джек дергал сорняки на клумбе жены. Я понимала, чем он занимается: пытается отвлечься, но при этом удержать ее рядом... Двойственные чувства траура.

— Ой, детки! Как хорошо, что вы пришли!

Деклан запрыгнул на него. Джек поманил меня и прижал к себе, когда я остановилась возле него.

— Как ты себя чувствуешь сегодня? — спросила я. — Поспал немного?

— Скажем так, я проснулся рано!

Он поставил Деклана на землю.

— Ух ты... вы не скучаете! Между прочим, у нас тут не каникулы!

На крыльце появилась Джудит, подбоченившись, в боевой униформе домохозяйки.

— Не ворчи, я пришла тебе помочь!

Джудит приводила дом в порядок после поминок. Я тоже засучила рукава и включилась в хлопоты по хозяйству. Они заняли все утро. Атмосфера была спокойная, отсутствие Эбби, конечно, ощущалось,

но не давило. Мы с Джудит со смехом вспоминали
ее, иногда роняя слезы.

Около полудня вернулись Джек с Декланом, и Джек
разжег камин. Я отправила Джудит в душ, а сама взялась за обед. Я следила за кастрюлями, когда увидела
в окно, как паркуется Эдвард. Застыла на месте. Услышала, как он спрашивает Джека, где я. Несколько секунд спустя я была уже на кухне не одна. Он приблизился ко мне:

— Помочь?

— Нет. — Я отвела глаза. — Осталось только на-
крыть на стол.

— Мы с Декланом этим займемся.

Он позвал сына, и мы втроем стали расставлять
посуду и раскладывать приборы. Джек хотел помочь,
но я его остановила, заставила сесть на диван и сунула в руки газету:

— Сегодня ты будешь гостем в собственном доме!

Меня, как и Эдварда, обрадовало то, что он засмеялся. Я внесла кастрюлю с супом, и тут в гостиную вошла Джудит. Она постояла, наблюдая за тем,
как мы втроем суетимся вокруг стола, пристально
посмотрела на меня, потом перевела взгляд на брата,
после чего тряхнула головой.

Обед затянулся надолго. Под конец Деклан, чей
стул стоял между отцом и мной, уже не мог больше
усидеть на месте. Он размахивал руками, беспрерывно ерзал. Я наклонилась к нему:

— Что случилось?

— Мне надоело.

Я улыбнулась ему и кивнула на отца, который почувствовал, что мы устраиваем заговор, и подмигнул мне.

— Бери собаку и беги на улицу, — предложил он.

Дважды повторять не пришлось. Я не удержалась и позвала его.

— Оденься как следует, сегодня холодно.

— Договорились! — крикнул он уже в дверях.

— Вечером он отрубится, как только окажется в постели, — сказала я Эдварду.

— Тем лучше.

Мы улыбнулись друг другу.

— Черт! — воскликнула Джудит. — Вы доиграетесь!

Я съежилась, она была права.

— Оставь их в покое, пожалуйста, — одернул ее Джек.

— Я говорю это ради вас самих, — не унималась она. — И ради него.

— Никакой надобности напоминать, — сухо ответил ее брат. — Мы и так в курсе.

Он сжал в кулаки лежащие на столе руки, я положила ему на плечо ладонь, чтобы успокоить, и он сначала посмотрел на нее, а потом мне в глаза. Взял мою руку в свою и снова обратился к сестре:

— Можешь прийти и посидеть с ним завтра утром, а потом отвести в школу? Нам рано ехать в аэропорт.

— Конечно!

— Стоп! — прервала их я. — Это смешно, Эдвард! Я сама доберусь, возьму напрокат…

— Даже не пытайся! — резко возразил он и еще сильнее сжал мою руку.

— Дети! Успокойтесь, — вмешался Джек.

Его слова подействовали отрезвляюще, мы все трое повернули к нему головы.

— Диана и Эдвард, погуляйте с Декланом, а потом возвращайтесь домой, не заходя сюда. Джудит, тебе пора развлечься и повидаться с друзьями.

Брат с сестрой запротестовали, я не вмешивалась и исподтишка наблюдала за Джеком. Он не хотел висеть на них мертвым грузом, и ему нужно было побыть одному, наедине с воспоминаниями о жене. Он поднял руку, заставив их замолчать.

— Не тяните с возвращением к привычной жизни… Я не боюсь одиночества. Я тоже буду жить своей жизнью, не беспокойтесь обо мне. В любом случае сегодня днем я не останусь здесь с вами, хочу навестить Эбби.

Никто больше не пытался спорить. Джек встал и начал убирать со стола. Я поспешила помочь ему, Джудит и Эдвард тоже. Очень быстро мы освободили столовую и запустили посудомоечную машину. Эдвард обменялся рукопожатием с дядей и отправился за Декланом в сад. Джудит подошла ко мне:

— Извини, что сорвалась, просто я беспокоюсь за вас.

— Знаю.

— Увидимся завтра утром, — сказала она, покидая кухню.

Мы с Джеком остались одни. Он широко улыбнулся и расставил руки. Я бросилась в его объятия.

— Спасибо, что пришла, моя маленькая француженка...

— Мое место здесь. Береги себя...

— Ты знаешь, что ты у себя дома.

— Да, — прошептала я.

— Больше я тебе ничего не скажу. Ты и так все сама понимаешь.

Я поцеловала его в пышную белую бороду и выбежала из дома. Эдвард, Деклан и Постман Пэт уже сидели в машине. Я тоже забралась туда и захлопнула дверцу.

— Куда мы едем?

Я заглянула Эдварду в лицо. За спиной я услышала, как щелкнул, отстегиваясь, ремень Деклана, и он скользнул между нами, в промежуток между сиденьями, повиснув на наших подголовниках. Все вопросы, терзавшие Эдварда, все его колебания были почти осязаемыми.

— Еще несколько часов, — сказала я ему.

Вместо ответа он включил мотор и выехал на шоссе.

Остаток дня пролетел совсем быстро. Эдвард показал мне еще один отрезок Дикого Атлантического пути. Он доехал до первых утесов близ Акилла. Деклан изображал из себя экскурсовода и не давал нам вставить ни слова. Мы с Эдвардом обменивались понимающими взглядами, позволяя ему демонстрировать свои познания. В какой-то момент мы поддались искушению и вышли из машины, хоть лило как из ведра. Так что в коттедж мы вернулись вымокшими до нитки. Эдвард начал разжигать камин и отправил сына в душ. Я поднялась вместе с ним и натянула сухую одежду. Пока Деклан мылся, я перестелила его постель, прибрала в спальне и подготовила все, что нужно, для завтрашней школы. Вскоре он вошел и сразу спросил:

— Ты мне почитаешь?

— Выбирай книгу и спустимся к папе.

Мы устроились на диване, я обняла его за плечи, он прижался ко мне. Я начала читать. И тут перед моим мысленным взором вспыхнула картинка — воспоминание о неудавшихся детских чтениях в "Счастливых". Я осознала, какой большой путь преодолела с тех пор. Но один вопрос оставался без ответа: если бы это был какой-то незнакомый ребенок, смогла бы я так? Не уверена. Я любила Деклана и больше не боялась себе в этом признаться. Мне было дорого место в его жизни, подаренное им.

Время от времени я отрывалась от книги и встречалась взглядом с Эдвардом: он тоже успел переодеться и теперь готовил ужин. В моих глазах он, наверное, увидел тоску, постепенно накрывавшую меня с головой. А я в его — не только грусть, но и редко покидавшую Эдварда ярость. Я подумала, что уже давно она не выплескивалась наружу. Мы сдерживались, стараясь, чтобы Деклан не заметил, как мы напряжены. В конце концов, разве у нас есть выбор?

За ужином Деклан из последних сил старался не уснуть, и это трогательное зрелище смягчило ярость его отца. Эдвард нежно погладил сына по макушке.

— Сегодня ты спишь в своей постели, — объявил он.

— Да...

Мальчик был совсем измучен, раз даже не сделал попытки поторговаться. Эдвард нахмурился:

— Завтра тебя в школу отведет Джудит.

— Да...

— А теперь иди спать.

Деклан ограничился кивком. Вышел из-за стола, взял меня за руку. Я встала и собралась идти вместе с ним, но он, не выпуская мою ладонь, обогнул стол и схватил за руку отца. Я скомандовала себе: продержись еще немного. Мы с Эдвардом переглянулись, потом он поднял сына на руки, и Деклан приник к нему, не отпуская меня. Войдя в спальню, Эдвард уложил его на кровать и накрыл одеялом. Я стала на колени рядом с подушкой. Привычным жестом он приложил шарф матери к лицу, а свободной рукой гладил меня по щеке. Я закрыла глаза.

— Не уезжай, Диана.

Его просьба перевернула мне душу.

— Спи, малыш. Увидимся завтра утром.

Он тут же уснул. Я поцеловала его в лоб и встала с колен. Эдвард ждал меня в коридоре, его лицо снова напряглось. Я увидела, что дверь в кабинет открыта, не удержалась и вошла, не спрашивая разрешения. Сняла фотографию со стены.

— Когда ты ее сделал?

— Какая разница? — Он остался на пороге.

— Пожалуйста… Ответь.

— Утром, перед нашей встречей на выставке.

Голос был усталым. Мои плечи опустились, к горлу подкатил комок. Наши сложные отношения, невозможность их развития, наши трудности, тайны, недомолвки, скрываемые чувства — все это лишало нас последних сил.

— А почему ты ее хранишь?

— Чтобы она напоминала мне…

Он развернулся и сбежал по лестнице. Я села за стол, не выпуская из рук снимок и не сводя с него глаз. Я чувствовала себя так, будто стою напротив "Счастливых" и наблюдаю за собой в своем же кафе, в собственной жизни. Никаких сомнений, у меня на лице написано счастье. В то время надо мной еще не сгустилась тень, зато имелось все, чтобы быть счастливой. По крайней мере, я тогда в это верила… Потому что всего через несколько часов после снимка мой мир обрушился, и с тех пор ситуация постоянно ускользала из-под контроля. Уверенность в правильности выбора, за который я сражалась все последние месяцы, слабела с каждой минутой. В конце концов я отвернулась от этой Дианы — парижанки, владелицы литературного кафе и подруги Оливье. Я заметила стопку фотографий, отражавших другие воспоминания — Эбби попросила Эдварда сделать их, когда я приезжала в прошлый раз. На них были мы все, кроме самого фотографа, но его присутствие ощущалось почти осязаемо. В те минуты я была совершенно другой. Ни на одном из снимков у меня нет отсутствующего взгляда: я смотрю то на Эбби, то на Джудит, то на Джека. Или же на Эдварда. Я на своем месте.

Эдвард сидел на диване с сигаретой в зубах, погрузившись в созерцание огня. Перед ним на журнальном столике стояли два стакана виски. Я сделала то, чего хотела, в чем нуждалась в данный момент: села, прижалась к нему, положила голову ему на грудь, подогнула под себя ноги. Он обнял меня за плечи. Мы не двигались и не произносили ни слова, и я различала только стук его сердца и треск дерева.

— Диана...

Никогда не слышала, чтобы он говорил так тихо, словно собираясь открыть мне какой-то секрет.

— Да...

— Не приезжай больше, пожалуйста.

Я теснее прижалась к нему, он крепче обнял меня.

— Больше нельзя питаться иллюзиями, — продолжил он. — И хватит ломать комедию...

— Знаю...

— Не хочу, чтобы по нашим счетам расплачивался Деклан... Он и так уже слишком привязался к тебе... Хочет видеть тебя на том месте, которое ты занять не можешь... Ему нужна стабильность...

— Да, конечно, мы должны его защитить... Мы не можем поступить по-другому.

Я потерлась щекой о его рубашку, он поцеловал мои волосы, вдохнул их запах.

— А я... я...

Он отодвинулся от меня, резко встал, одним глотком опустошил свой стакан и застыл перед камином спиной ко мне, сгорбившись. Я тоже встала и направилась к нему. Он это почувствовал и оглянулся:

— Не подходи...

Я застыла на месте, у меня все ныло — голова, сердце, кожа. Эдвард шумно втянул воздух.

— Не хочу больше страдать из-за любви к тебе... Невозможно так жить... слишком долго все это тянется... Моя фотография-напоминание не в силах вдолбить мне, что ты уже выстроила свою жизнь и в ней ты — не мать Деклана и не моя жена...

Он отдает себе отчет в том, какие слова произносит? Слова и признания, переворачивающие мне душу. Впервые за все время он позволил себе быть искренним, и все, что он говорил, причиняло нам обоим невыносимую боль.

— Твоя жизнь всегда была и будет в Париже.

— Это правда, — пробормотала я.

Он обернулся и пристально посмотрел на меня:

— Я должен забыть тебя раз и навсегда...

Это прозвучало как вызов и обещание выполнить невыполнимое.

— Прости меня, — тихо сказала я.

— Никто в этом не виноват... У нас никогда не было общего будущего... Мы не должны были встретиться и уж тем более увидеться вновь... Возвращайся на свой путь...

— Ты жалеешь о том, что встретил меня?

Он уничтожил меня взглядом и покачал головой:

— Иди спать... так будет лучше.

Первая моя реакция — послушаться; я развернулась и направилась к лестнице. Но на полпути остановилась. Не имел он права говорить все это. Не имел права делиться своими страданиями, не узнав о моих. Как он это себе представляет? Думает, мне легко все перечеркнуть, вернуться в Париж и делать вид, будто я люблю Оливье? Притом что я целиком принадлежу ему, Эдварду, хоть и прекрасно отдаю себе отчет в невозможности наших отношений. Я повернулась к нему лицом. Он не спускал с меня глаз. Я бегом пересекла всю гостиную и бросилась ему на шею. Он оттолкнул меня, схватил за плечи и удерживал на расстоянии.

— Нельзя, чтобы все так кончилось!

— Диана... прекрати...

— Нет, не прекращу! Я тоже должна кое-что тебе сказать!

— Не хочу слушать.

Жесткость его тона заставила меня отпрянуть, а потом я подумала, что все, хватит. Я схватила его лицо в ладони и прижалась в поцелуе. Он яростно ответил на него и стиснул меня в объятиях. В свой поцелуй я вложила все разочарования последних месяцев. Поднявшись на цыпочки, я распласталась по его телу, стала совсем маленькой, чтобы исчезнуть в нем, сделаться еще ближе. Мне было мало того, что есть, я хотела больше, больше — больше его тела, больше губ, кожи. Никогда еще я не испытывала такого желания, такого непреодолимого влечения к мужчине. Да, однажды он помог мне подняться, но сегодня мои чувства гораздо сильнее мольбы о поддержке и благодарности за нее. Сначала я плохо его любила, не так, как надо, а теперь каждая клеточка моего существа, все мое сердце и все мое тело хотели его. Я любила и его силу, и его слабости. Он оторвался от меня со страдальческим стоном.

— Нам будет еще больнее, перестань, пожалуйста...

— Одна ночь... Нам остается одна ночь иллюзий.

Он слишком долго пытался контролировать свои эмоции, слишком долго запрещал себе жить, потому что боялся страданий, неизбежных спутников любви, и был раздавлен грузом ответственности, которую сам взвалил на себя. Я взяла его за руку и повела на второй этаж. Оставила перед его спальней, чтобы проверить, плотно ли закрыта Декланова. Он ждал меня, прислонившись к дверному косяку и не сводя с меня глаз.

— Еще можно остановиться.

— Ты действительно этого хочешь?

Он закрыл за нами дверь и подтолкнул меня к кровати. Мгновение назад он был растерянным и слабым, теперь со слабостью покончено: он взял власть надо мной. Жесткость его поцелуя убедила меня в этом. Мы рухнули на кровать, подстегиваемые жгучим нетерпением; грубо раздевали друг друга, искали губы, касались разгоряченной кожи. Близость Деклана вынуждала нас проделывать все в полной тишине, а осознание того, что у нас всего несколько часов, усиливало интенсивность момента, которого мы так долго ждали, — момента, когда мы наконец позволим себе всё. Когда он проник в меня, дыхание у меня перехватило и наши взгляды погрузились друг в друга. Я прочла на его лице всю любовь и желание, но одновременно и всю боль, которые он испытывал. Наслаждение телом Эдварда вызвало у меня слезы. Он упал на меня, еще крепче прижимая к себе, а я удерживала его в скрещении своих ног и гладила по волосам. Потом обхватила ладонями его лицо. Он нежно поцеловал меня — гроза прошла.

— Я люблю тебя, — прошептала я.

— Никогда больше не повторяй этого... Это ничего не изменит...

— Знаю... но давай разрешим себе быть свободными в эти несколько часов.

Всю ночь мы отчаянно любили друг друга. Время от времени задремывали, и наши влажные тела слипались. Тот, кто просыпался первым, будил другого ласками.

— Диана...

Я прижалась еще теснее, вцепилась в него, переплела свои ноги с ногами Эдварда. Он тронул губами мой висок.

— Я сейчас встану... Не хочу, чтобы Деклан нашел нас вместе.

Его замечание окончательно разбудило меня.

— Ты прав.

Я подняла голову и провела пальцем по его подбородку. Он схватил мою руку и поцеловал. Потом отодвинулся, сел на край кровати, ероша волосы. Посмотрел на меня через плечо, я постаралась улыбнуться, он погладил меня по щеке:

— Я пошел...

— Да.

Я отвернулась, не желая видеть, как он покидает спальню: не нужно, чтобы эта картинка запечатлелась в моей памяти, пусть я буду помнить только нашу ночь любви. В тот момент, когда дверь с легким стуком захлопнулась, я изо всех сил прижала к себе его подушку.

Я лежала еще примерно полчаса. Чтобы встать, а потом собрать разбросанную по всей комнате одежду, мне понадобились сверхчеловеческие усилия. Я снова сражалась со своими привычными демонами — как тогда, несколько лет назад, когда мне хотелось как можно дольше обойтись без душа, чтобы сохранить запах Колена на своей коже. Но Эдвард жив.

Еще не совсем рассвело, когда я спустилась на первый этаж. Чемодан я поставила у входа. На кухонной стойке меня поджидала дымящаяся чашка кофе, и я сделала несколько глотков. Потом вышла на террасу, где курил Эдвард. Может, он и услышал, что я подхожу, но не подал виду. Я приблизилась к нему почти вплотную, наши пальцы переплелись, он, вздыхая, нежно провел ладонью по моим волосам. Потом мы услышали, как к коттеджу подъезжает машина.

— Вот и Джудит, — сказал он.

Я собралась отстраниться — была уверена, что он захочет сохранить нашу близость в секрете.

— Стой на месте.

Он выпустил мою руку, чтобы еще крепче прижать меня к себе, удержать в своих объятиях. Я зарылась лицом в рубашку Эдварда и вдыхала его запах полными легкими. Тут хлопнула входная дверь, и на пороге возникла Джудит со своей легендарной тактичностью.

— Пора будить Деклана, — объявил мне Эдвард.

Я вцепилась в его рубашку.

— Пойдем.

Он увлек меня в дом, где Джудит ждала нас, облокотившись о стойку, с чашкой кофе в руках. Она грустно улыбнулась:

— Так или иначе это должно было произойти, ведь сколько времени вы ждали...

— Оставь нас в покое, — резко оборвал ее Эдвард.

— Эй! Успокойся... я вас ни в чем не упрекаю. Просто завидую, вот и все...

По лестнице затопотали мелкие шажки, после чего раздался веселый голос Деклана:

— Я спал один! Папа! Диана! Я спал совсем один!

Я успела отойти от Эдварда, до того как сын вспрыгнул ему на руки. Он был так горд, на его лице сияла ликующая улыбка.

— Видела, Диана?

— Ты настоящий герой!

Его улыбка застыла, когда он заметил Джудит. На лице был написан шок от обрушившейся на него реальности. Он вырвался из рук отца и помчался к выходу. Дернул за ручку мой чемодан и перевел взгляд на меня.

— Что это? — закричал он.

— Мой чемодан, — ответила я, направляясь к нему.

— Почему он здесь?

— Я возвращаюсь домой, разве ты забыл?

— Нет! Теперь твой дом здесь, с папой и со мной! Не хочу, чтобы ты уезжала!

— Мне очень жаль...

У него на глазах выступили слезы, он покраснел от злости, даже ярости.

— Ты плохая!

— Хватит, Деклан! — вмешался Эдвард.

— Не трогай его, — шепнула я. — Он прав...

— Ненавижу тебя! — завопил Деклан.

Он бегом взлетел по лестнице и хлопнул дверью спальни. Эдвард обнял меня.

— Как мы могли быть такими эгоистами? — всхлипнула я.

— Знаю...

— А теперь убирайтесь, — велела нам Джудит.

Я оторвалась от Эдварда и подошла к ней:

— Не будем прощаться, не хочу, надоело. Поговорим по телефону...

— Ты права...

Эдвард с моим чемоданом в руках ждал на крыльце. Уже перешагивая порог, я остановилась. Нет, придется задержаться...

— Я должна сказать ему "до свидания".

Я поднялась по лестнице, перескакивая через ступеньки, и постучала в дверь спальни.

— Нет!

— Деклан, я войду.

— Не хочу больше никогда видеть тебя!

Я зашла в комнату, он сидел на кровати, вытянувшись в струнку, и отчаянно тер щеки, уставившись в одну точку. Я присела рядом.

— Прости... Я вела себя так, что ты надеялся, что я не уеду. Ты прав, мне хорошо здесь, с тобой и с папой. Я тебя не обманывала... ты все сам поймешь, когда будешь большим... Не всегда удается делать то, что хочешь. У меня в Париже работа, обязанности взрослого человека. Я знаю, тебе это кажется ерундой... Я буду очень часто думать о тебе, обещаю.

Он бросился мне на шею. Я в последний раз баюкала его, лохматила волосы и еле сдерживала слезы. Он не поймет, почему я ухожу, если заметит, как мне плохо.

— Тс-с-с... все будет хорошо... ты храбрый мальчик... Я тебя никогда не забуду, никогда... Ты вырастешь большим и сильным, как твой папа... Договорились?

Я еще долго держала Деклана в объятиях, мне хотелось его защитить, успокоить. Но время неумолимо шло...

— Папа ждет меня в машине...

Он еще сильнее вжался в мой живот.

— Вот увидишь, будет классно пойти в школу с тетей Джудит... А папа встретит тебя после занятий. Вчера вечером я приготовила твою школьную форму, осталось только надеть ее...

Он выпрямился и поднял на меня свои красивые глаза. Потом встал с кровати, ухватил меня за шею и звучно чмокнул, как это делают дети, влажно и щедро. Я тоже поцеловала его в лоб, и он меня отпустил. Я с трудом разогнула спину, чувствуя себя беспомощной, и тут заметила Джудит, которая наблюдала за этой сценой.

— До свидания, Деклан.

— До свидания, Диана.

Я подошла к двери, остановилась на секунду рядом с Джудит, мы посмотрели друг на друга, улыбнулись, я поцеловала ее в щеку и сбежала по лестнице. Внизу, рядом с последней ступенькой, я увидела лежащего Постмена Пэта, прощаясь, потрепала его по холке и покинула коттедж. Эдвард курил возле машины. Я бросила последний взгляд на море и забралась в кабину. Он тут же присоединился ко мне и включил зажигание.

— Ты готова?

— Нет... но я никогда не буду готова, так что можешь ехать.

Несколько секунд я всматривалась сквозь стекло в коттедж. А потом машина тронулась с места и помчалась по пробуждающейся деревне.

— Обрати внимание, вот и он, — сказал Эдвард.

Издалека я заметила крупную фигуру Джека, он стоял у ворот дома. Когда мы проезжали, он приветственно поднял руку. Я обернулась и следила за ним через заднее стекло: несколько мгновений он глядел вслед автомобилю, потом, ссутулившись, вернулся в дом. Мы выехали из Малларанни, и я взяла с приборной панели сигареты Эдварда, закурила и стала делать одну затяжку за другой. Мне хотелось стучать кулаками по машине, орать, чтобы избавиться от душившей ярости. Впервые я разозлилась на Эбби: умерев, она загнала меня в невыносимую ситуацию. Я прекрасно сознавала наивность и эгоистичность своей реакции, но она была единственным доступным мне способом защиты от тоски. Я злилась и на себя: от меня одни неприятности! Я заставила страдать Оливье, Эдварда, Деклана и Джудит. Я так и осталась капризной, неуклюжей эгоисткой. Как будто жизнь ничему меня не научила.

— Черт! Что за свинство! — заорала я по-французски.

Выкрикивая еще более выразительные слова, я схватила сумку и высыпала ее содержимое на колени, чтобы разобрать. Мне нужно было чем-то занять себя. Горячий пепел сигареты упал на джинсы, и я завопила. Эдвард воспринял мою истерику невозмутимо и не мешал мне бушевать. Он мчался, как обычно, на предельной скорости. Понемногу приступ проходил, я успокоилась, задышала медленнее. Впрочем, комок в горле никуда не делся, однако я перестала вертеться на сиденье, села поглубже и уперлась затылком в подголовник. Я не отрывала глаз от дороги, но мелькающих в окне пейзажей не видела.

Телефон Эдварда зазвонил больше чем через час. Он ответил, я разговор не слышала и стоически хранила спокойствие все то время, что он длился.

— Это Джудит... С Декланом все нормально, у него хорошее настроение, он пошел в школу...

Эта новость вызвала у меня слабую улыбку, которая быстро растаяла. Я ощутила на щеке палец Эдварда — он стирал с нее слезинку. Я повернула к нему голову. Никогда еще он не казался мне таким грустным и таким сильным. Он отец семейства и ради сына должен стойко выдержать все испытания. Ему не впервые отодвигать себя на второй план — сегодня Деклан прежде всего. Я хорошо понимала его. Он погладил меня по щеке. Потом водрузил свою лапищу мне на бедро, я положила на нее ладонь, и Эдвард снова сконцентрировался на дороге.

Поездка прошла в глухом молчании и закончилась очень быстро, слишком быстро. Время от времени Эдвард вытирал мои безмолвные слезы. Я себе казалась приговоренной, которую ведут на казнь. Обстоятельства, расстояния отнимут у меня мужчину и ребенка, которых я люблю больше всего на свете. Единственное мое утешение — я знаю, что они живы, у них все хорошо и их у меня отобрала не костлявая. Нам просто не повезло: мы существуем в разных странах, и у нас разные жизни. Мы позволили чувствам увлечь себя, не соизмерив их с реальностью.

Мы въехали на парковку дублинского аэропорта. Эдвард выключил зажигание, но мы не сделали ни малейшего движения, чтобы покинуть автомобиль. Просидели, не шевельнувшись, минут десять. А потом я повернулась к нему. Он откинулся на спинку, положил голову на подголовник — закрытые глаза, напряженное лицо. Я погладила его по заросшему щетиной подбородку, и он перевел на меня пристальный взгляд. В нем читалась такая же любовь, как этой ночью, и одновременно еще большая, чем раньше, боль. Он выпрямился, наклонился ко мне, коснулся губами моих губ, и наш поцелуй постепенно стал более глубоким. Когда он прервал его, обхватил мое лицо и прижал свой лоб к моему, у меня потекли слезы, скатываясь по его ладоням. Он снова начал целовать меня.

— Надо идти...

— Да... пора...

Я, покачиваясь, покинула автомобиль. Эдвард взял мой чемодан и за руку повел меня. Я цеплялась за него изо всех сил и прижималась лицом к его плечу. Мы вошли в зал аэропорта. Естественно, мой рейс вылетал по расписанию. Мы приехали заранее, до посадки еще оставалось время, но я хотела, чтобы Эдвард не ждал, а сразу уехал и успел к окончанию занятий. Он должен встретить Деклана у школы. Нельзя, чтобы мальчик слишком долго ждал папу. Я пошла прямиком к стойке, зарегистрировалась и избавилась от чемодана. Эдвард не отпускал меня, стюардесса смотрела на нас.

— Вы летите вместе? — спросила она.

— Если бы только это было возможно... — пробормотал он.

— Нет, — выдохнула я. — Лечу только я.

Губы Эдварда снова притронулись к моему виску, слезы катились по моим щекам без остановки. Бросив на нас последний взгляд, девушка застучала по клавиатуре компьютера. Я мысленно поблагодарила ее за то, что она не пожелала мне счастливого пути. Мы отошли от стойки, и я проверила время.

— Поезжай, Эдвард. Я пообещала Деклану, что ты встретишь его после школы...

Мы прижимались друг к другу, наши пальцы тесно переплелись, и так мы пересекли весь зал вплоть до контроля безопасности. К горлу подкатывала тошнота, мне хотелось вопить, рыдать. Было страшно остаться без него. Но нам удалось как-то дойти до того места, где Эдвард должен был меня покинуть. Он обнял меня, крепко сжал.

— Не мчись как сумасшедший на обратном пути...

Он что-то страдальчески пробурчал и прижался губами к моей шее. Я наслаждалась этим поцелуем, таким нежным, полным для него такого глубинного значения... Почувствую ли я еще когда-нибудь столь же мощно, что я целиком и полностью принадлежу мужчине?

— Не говори больше ничего, — попросил он еще более хриплым, чем всегда, голосом.

Я потянулась к нему, наши губы искали друг друга, наслаждались друг другом, запоминали друг друга. Я застонала от боли и удовольствия, цеплялась за его волосы, шею, гладила щетину, а его руки мяли мою спину. Мир вокруг нас перестал существовать. Но время не ждало, и я в последний раз прижалась к его груди, зарывшись лицом в шею, а он целовал мои волосы. А потом я ощутила арктический холод: его руки больше не лежали на моем теле, он отступил на несколько шагов назад. Молча прощаясь, мы заглянули друг другу в глаза и обменялись обещаниями — всего и ничего. Я развернулась и пошла к очереди, держа в руках паспорт и посадочный талон. Инстинктивно обернулась: Эдвард не сдвинулся с места, неподвижно стоял, засунув руки в карманы джинсов, с жестким, суровым лицом. Некоторые пассажиры испуганно оглядывались на него. Только мне было известно, что он не представляет никакой опасности. Просто так он восстанавливал свой защитный панцирь, натягивал броню. Очередь продвигалась, в какие-то моменты я теряла его из виду, и всякий раз пугалась, что, обернувшись, больше не увижу — хоть в последний раз, хоть на секунду. Но он не шелохнулся. Нас разделяло уже метров двадцать. Я чувствовала на себе его взгляд, когда подошла моя очередь вынимать все из карманов, снимать ремень и сапоги. Я охотно пропускала вперед торопливых пассажиров. Рамка, через которую я пройду, будет означать конец всему. Но в какой-то момент мне все же пришлось двинуться с места. Я поднялась на цыпочки, снова увидела Эдварда: он уже держал в зубах сигарету, был готов закурить, как только окажется на улице. Он сделал несколько шагов ко мне, провел рукой по лицу. Нервы не выдержали, и я залилась слезами. Он заметил это, направился ко мне, мотая головой, — пытался попросить меня не плакать, держаться.

— Мадам, проходите, пожалуйста.

Эдвард застыл на месте. Расстояние не было для нас помехой: мы понимали, что творится в наших душах.

— Да, конечно, — ответила я секьюрити.

Плача и оглядываясь, я прохожу под рамкой. А потом Эдвард исчезает. Я долго стою в носках у края ленты, где вещи других пассажиров начинают громоздиться на мои, создавая затор. Наконец я решаюсь и, спотыкаясь, направляюсь к выходу на посадку. Пассажиры смотрят на меня как на инопланетянку. Будто это такая редкость — плачущая женщина в аэропорту.

Два часа спустя я застегнула ремень безопасности. Достала телефон и написала Оливье:

Я в самолете. Встречаемся вечером в "Счастливых".

Мне больше нечего было сказать, и от этого стало грустно. Я отключила мобильник. Еще несколько минут — и самолет покатил по взлетной полосе.

Глава одиннадцатая

В Руасси я решила взять такси, у меня не было сил трястись в общественном транспорте. В машине я получила эсэмэску от Джудит:

Отец и сын снова вместе.

На мгновение мне стало легче.

Я расплатилась и сразу поднялась к себе, даже не заглянув в "Счастливых" и не поздоровавшись с Феликсом. Когда я увидела, что в студии громоздятся наполовину уложенные коробки, мне стало стыдно перед Оливье за свое лицемерие. Я подала ему надежду на любовь и совместную жизнь, в которые сама не верила. Я втолкнула в комнату чемодан и захлопнула дверь.

Через служебный вход я вошла в кафе, увидела нескольких клиентов — и, не поздоровавшись с ними, скрылась за стойкой.

— Привет, Феликс, — кивнула я.

Взяла бухгалтерскую книгу и проверила данные за прошлые дни. Особого интереса я не испытывала, но нужно было чем-то себя занять...

— Здравствуй, Феликс, как у тебя дела? Не слишком замучился, справляясь все эти дни в одиночестве? У тебя, что ли, язык отсохнет, если ты будешь со мной полюбезнее? — возмутился он.

Я бросила на него самый мрачный взгляд. Он изумленно раскрыл глаза:

— Что за хрень ты натворила?

— Ничего я не натворила! Отцепись от меня!

— Ты так просто не выкрутишься!

— Закругляйся и вали, ты наверняка устал, — огрызнулась я.

— Нет, она явно свихнулась!

— Пожалуйста, Феликс, — прошипела я. — Мне нельзя сейчас сорваться.

Я вцепилась в стойку, сжала зубы и попыталась успокоить дыхание.

— Ладно-ладно, ухожу... держись...

— Завтра, Феликс... завтра я все тебе расскажу, клянусь...

— Не парься! Я тебя знаю! Все пройдет так же быстро, как нахлынуло!

Только после закрытия появился удрученный Оливье. Он толкнул дверь, я осталась за стойкой, словно за защитным барьером. Он сел на табурет, оперся о стойку и стал пристально изучать меня. У меня не было сил заговорить. Он огляделся вокруг — направо, налево, вверх, вниз, — словно старался запомнить все детали интерьера. Должна бы сообразить, что он с его проницательностью сразу все поймет.

— Оливье... я больше не могу притворяться...

— Я сам во всем виноват... хотел верить, надеялся, что окажусь сильнее... С того самого момента, как я увидел тебя с ним на выставке... Я отказывался взглянуть в лицо действительности. Но я всегда чувствовал, что на самом деле ты любишь его...

— Прости меня...

— Не хочу знать, что между вами произошло и когда это началось. Но меня приводит в отчаяние мысль, что он не делает тебя счастливой...

— Несчастной меня делает сама ситуация, а он тут ни при чем.

— Его сын?

— Расстояние.

Он опустил голову.

— Если бы у меня был ребенок, ты бы на меня и не посмотрела...

Он был прав.

— Я сейчас уйду... Все эти разговоры ни к чему. Завтра позвоню в агентство недвижимости и аннулирую контракт.

— Я сама это сделаю...

— Нет.

Он встал, подошел к двери, открыл ее и только потом обернулся ко мне. Он сделал мне столько хорошего, заботился обо мне, был терпелив, а я его оттолкнула…

— Будь осторожна, — сказал он.

— Ты тоже, — прошептала я.

Он закрыл дверь, а я навалилась грудью на стойку. Я опять осталась одна, зато повела себя честно и с Оливье, и с самой собой. Давно пора. Я обошла "Счастливых", выключила свет и, еле волоча ноги, поднялась к себе. Проигнорировала и чемодан, и коробки, в полной темноте растянулась на кровати и уперлась взглядом в потолок. Снова пережила в мыслях последние три дня, ночь с Эдвардом, расставание с Декланом… Мне было очень плохо. Мне так их недоставало, я даже не представляла, что будет так тяжело. Я была опустошена. Моя студия, ставшая для меня после первого возвращения из Ирландии непроницаемым прозрачным шаром, внутри которого можно укрыться от всех и чувствовать себя в безопасности, больше не давала успокоения. Теперь мне казалось, будто я временно остановилась в отеле в ожидании прыжка в неизведанное. Мне стало страшно: я лишилась надежного дома, и все мои ориентиры разлетелись вдребезги.

Назавтра я проснулась на рассвете сама, без будильника. Открыла кафе больше чем на час раньше времени. Я пила третью чашку кофе и думала о Деклане, который уже должен быть в школе, об Эдварде — он, скорее всего, с фотоаппаратом на пляже. Или в кабинете. Как они там? Выспались ли? Справляется ли Эдвард? Томится ли такой же тоской, как я? И что Джек? Джудит уже вернулась в Дублин? Я встречала клиентов, обслуживала, улыбалась им, несмотря ни на что, но это ничего не меняло. Ничто не избавляло меня от мыслей о них и от печали.

Я звонила Феликсу, он был недоступен, и я провела большую часть дня одна, наблюдая, вглядываясь и вслушиваясь в "Счастливых людей", заново привыкая к ним. Свою работу я делала автоматически. Разговаривала с клиентами, но мой голос казался мне каким-то непривычным, будто на просьбы откликалась незнакомка. Все действия я выполняла словно помимо собственной воли. Рутинные рабочие жесты, когда-то автоматические, стали вдруг чужими. Как-то потихоньку и незаметно образовалась дистанция, нет, ров, между мной и "Счастливыми". Время от времени я цеплялась за стойку, как если бы пыталась удержаться на ногах. Вот бы здорово, будь у меня мистические способности, тогда бы я поговорила с ними, с моими "Счастливыми людьми", попросила их, чтоб призвали меня к порядку, вернули к себе, заново увлекли и принесли успокоение, заполнили пропасть, оставленную в моей душе отсутствием Эдварда и Деклана. Я часто рассматривала фотографии на стойке, вглядывалась в лица Колена и Клары. Им я тоже посылала сигнал о спасении, мне нужна была их поддержка. А еще я думала об Эбби и знала, что бы она мне ответила. Я запрещала себе думать о будущем... о невозможном будущем. Но оно не отпускало и по-прежнему было в моих руках.

Ближе к концу дня нарисовался Феликс. Фактически он пришел к закрытию, чтобы выпить вина. Клиенты разошлись. Не так уж это плохо, нам нужно поговорить с глазу на глаз. Он прошел за стойку, налил себе бокал и покосился на меня. Наверное, сразу понял, что мне тоже нужно взбодриться, поэтому налил вина и мне. Потом прислонился к стене, приветственно приподнял свой бокал и стал прихлебывать, наблюдая за мной.

— Где ты спала этой ночью?

— У себя.

Он склонил голову к плечу.

— А-а... А сегодня?

— Тоже дома.

— Как переезд?

— Переезда не будет.

Я сделала большой глоток вина, чтобы вернуть себе самообладание. Потом ухватилась за сигареты как за лучшую возможность сбежать и вышла на улицу. Феликс, такой же любитель никотина, как и я, не замедлил присоединиться. Он облокотился о витрину и ухмыльнулся:

— Черт! А я не верил, что ты это сделаешь...

Я вдруг почувствовала сильную усталость и положила голову ему на плечо. Меня измучили бесконечные вопросы, которые я задавала себе, я устала от необходимости принимать решения, требовавшие от меня чудовищной храбрости и подвергавшие сомнению саму мою жизнь, и, главное, меня истерзала тоска по Эдварду и Деклану — она навалилась уже через сутки после расставания.

— Опять мы с тобой одни, — добавил он. — Такой был хороший мужик. Жаль. Ты могла быть счастлива с ним.

— Знаю...

— Ну и не хотелось бы говорить, но... ты сейчас выглядишь полной идиоткой!

Я выпрямилась, повернулась лицом к нему, слегка расставила ноги, чтобы увереннее стоять на земле. Он позволяет себе смеяться! Пусть поостережется, я могу разозлиться в любую секунду.

— Могу поинтересоваться, почему я выгляжу идиоткой?

— У тебя есть два парня, которые тебя любят, причем в одного из них ты и сама влюблена как кошка, и при этом ты остаешься одна. По-моему, ты разучилась соображать. Получается, ты в полном пролете, а вся ситуация — сплошной абсурд. Что ты намерена делать? Томиться в своем кафе? Дожидаться третьего чувака, который избавит тебя от первых двух?

Феликс даже не догадывался, что он в это мгновение спровоцировал. Во-первых, благодаря ему ко мне вернулось спокойствие — внутренний шторм утих, как и не было, и я снова была в согласии с собой. Во-вторых, сформулировав вслух то, что лишь смутно вертелось у меня в голове, он дал мне искомый ответ. Нет, я не потеряю свою семью во второй раз.

— Спасибо, Феликс, за совет...

— Я ничего не сказал!

— Еще как сказал... Могу я попросить тебя об услуге?

— Валяй.

— Можешь подменить меня завтра утром?

Он вздохнул:

— Ладно... договорились...

— Спасибо!

Когда я в полдень вышла из агентства, у меня немного кружилась голова: первый этап завершен, второй начнется через пару часов. Если ничего не случится, на следующий день машина будет запущена, и мне останется только ждать. Увидев свободную скамейку, я опустилась на нее. Я дойду до конца — в этом я была так же твердо уверена, как когда отправлялась в Ирландию в первый раз. Я достала телефон и набрала его номер. Он, естественно, не ответил: я представляла себе, как он вперился в мое имя на дисплее мобильника. Я не сдалась и звонила снова и снова. На пятой попытке он откликнулся:

— Диана...

Этот хриплый голос... Я задрожала всем телом.

— Ты не должна мне звонить...

— Эдвард... я буду очень краткой, мне просто нужно сообщить тебе кое-что.

Он вздохнул, я услышала щелчок зажигалки.

— Я только что из агентства недвижимости... Выставила "Счастливых" на продажу. Если я еще нужна тебе и Деклану...

Эмоции захлестнули меня. На том конце — ни звука. Я даже забеспокоилась.

— Ты слышишь меня?

— Да... но... кафе... твои муж и дочка... ты...

— Нет... они не здесь. Я ношу их в своем сердце. А теперь есть ты и Деклан. Такое, как у нас, случается редко... Я отказываюсь прожить свою жизнь без вас, а ты не сможешь вырвать Деклана из родной почвы... Вы не приживетесь в Париже, а для меня Малларанни — родное место...

— Диана... боюсь разрешить себе поверить.

— Разреши. Мы — ты и я, и Деклан с нами — больше не иллюзия. Я никогда не буду матерью твоему сыну, но я стану той, кто помогает отцу в его воспитании и отдает Деклану всю любовь, на которую способна... И я буду твоей женой... Вот такой может быть наша жизнь, если ты по-прежнему этого хочешь...

Несколько секунд полной тишины. Потом я услышала его дыхание.

— Как ты можешь в этом сомневаться?

Еще полчаса спустя я открыла дверь, звякнул колокольчик "Счастливых людей". Феликс трепался у стойки с клиентами. Еще мгновение — и его мир рухнет. Я подошла, поцеловала его в щеку и налила себе кофе.

— Нам надо поговорить. — Я обошлась без вступления.

— Не будь я геем, решил бы, что она хочет порвать со мной...

Все, кроме меня, расхохотались. Он даже не догадывался, насколько близок к истине.

— Оставляем вас наедине! — захихикали клиенты.

— Ну, давай, что у тебя стряслось? — поторопил он меня, когда мы остались одни.

Я пристально наблюдала за его реакцией.

— Сегодня днем сюда придут риелторы...

— И что?

— Будут оценивать "Счастливых".

Он потряс головой, вытаращил глаза и стукнул кулаком по стойке:

— Ты продаешь?

— Да.

— Я тебе не позволю! — заорал он.

— Как?

— Зачем ты это делаешь?

— Три года назад я потеряла семью, и этого не изменить. Мне понадобилось время, чтобы принять невозможность воскрешения Колена и Клары. Но я не хочу терять семью в очередной раз. Эдвард и Деклан живы, они — моя семья, я себя чувствую дома в Малларанни, и с Джеком и Джудит тоже...

— А я? — Его голос сорвался. — А я? — повторил он. — Я думал, что твоя семья — это я.

Я увидела, как по его щекам скользнуло несколько слезинок, мои слезы катились градом.

— Ты был и навсегда останешься моей семьей, Феликс... Но я люблю Эдварда и не могу жить без него... Приезжай к нам в Ирландию!

— Ты совсем свихнулась, или как? Думаешь, я мечтаю держать свечку и изображать из себя няньку?!

— Нет, конечно нет! — Я опустила голову.

Он вышел из-за стойки, взял пальто, закурил прямо в кафе. Я в панике бросилась за ним.

— Что ты делаешь, Феликс?

— Сваливаю! Не желаю присутствовать при этом... И вообще мне надо искать работу, из-за тебя я попал в безработные.

Он уже открыл дверь.

— Нет, Феликс, ты не потеряешь работу. Я обговорила условие продажи: покупатель оставляет тебя.

— Ага, вместе с мебелью!

Он хлопнул дверью с такой силой, что я испугалась, как бы не треснуло стекло, и умчался. А дребезжание колокольчика еще долго стояло у меня в ушах. Нехорошо вышло... Накал его реакции парализовал меня.

Впрочем, я не успела углубиться в эмоции Феликса, как, честно говоря, и в свои собственные. Явились акулы из агентства недвижимости. Я наблюдала, как они бесстрастно, оценивающим взглядом рассматривают мое кафе, и отстраненно и рассеянно отвечала на их вопросы. Я больше не должна связывать свои чувства со "Счастливыми людьми", потому что скоро они перестанут быть моими. Нужно быстро привыкнуть к новой ситуации, поскольку мне вот-вот предстоит подписать договор купли-продажи. Феликс оставался вне досягаемости в течение всего дня. Я безрезультатно бомбардировала его эсэмэсками и сообщениями на голосовую почту. Не срабатывали ни извинения, ни признания в любви, ни угроза сжечь все мосты между нами, ни рыдания. В очередной раз мне казалось, что я расту, становлюсь взрослой. Всякое решение влечет за собой утраты. Словно оставляешь в прошлом куски жизни. Я бы ни за что на свете не хотела лишиться дружбы с Феликсом: он стал моим братом, которого у меня никогда не было, моим сообщником, моим наперсником и моим двойником, а в мрачные периоды жизни превращался в моего спасителя... Но я люблю Эдварда так, что эта любовь перевешивает все узы, соединяющие меня с Феликсом. Точно так же, если бы понадобилось, я бы бросила Феликса ради Колена, и в глубине души он это знает. Я надеялась, что в конце концов он меня поймет. Звонок Эдварда в десять вечера избавил меня от подавленного настроения. Отвечая ему, я залезла под одеяло, завернулась в него, и мы заговорили о нашей скорой совместной жизни. Он выражал свои чувства не так бурно, как я, но я его понимала, потому что хорошо знала. Он пока выжидает, ему трудно дать волю эмоциям. Для него, находящегося в тысячах километров от Парижа, мое решение остается чем-то абстрактным. Он предупредил, что решил подождать и пока ничего не рассказывать Деклану, и я снова его поняла. Мы-то с ним знаем, что может пройти еще немало времени, до того как я возьму билет в один конец.

Назавтра, ближе к вечеру, на витрине появилась афишка "Продается", и я решила отправить ему осязаемое подтверждение происходящего. Вышла на улицу, стала на противоположном тротуаре, постаралась найти точку, с которой он сделал снимок, висевший у него на стене. Мне пришлось немного подождать, пока руки перестанут дрожать и успокоится дыхание. Как стереть из памяти эти слова:

СЧАСТЛИВЫЕ ЛЮДИ ЧИТАЮТ КНИЖКИ И ПЬЮТ КОФЕ
Продается

Это ведь тоже моя семья, а я ее бросаю. Я сделала снимок смартфоном и отправила Эдварду, подписав:

Это уже не иллюзия, меня там больше нет.

Он мне тут же ответил:

Как ты?

Что я могла сказать, не обеспокоив его?

Все в порядке, но мне вас не хватает.

От него я получила фото, вызвавшее у меня улыбку: Эдвард отпустил вожжи — прислал мне селфи. Они с Декланом, смеющиеся, на пляже. Я уже собиралась перейти через дорогу, когда увидела Феликса, оцепенело глядящего на бумажку в витрине. Я подошла к нему, положила руку на плечо. Он дрожал.

— Прости меня, — сказала я.

— Уверена, что оно того стоит?

— Да.

— Где доказательства?

— Вот.

Я протянула ему телефон с фотографией Деклана и Эдварда во весь экран. Он долго смотрел на нее, дрожь не проходила. Потом с силой выдохнул воздух, покосился на меня, перевел взгляд куда-то вдаль.

— Нужно было тогда расквасить ему морду, даже с риском угодить в тюрьму...

Я чуть улыбнулась — все-таки он не совсем лишился чувства юмора.

— Пойдем?

Не дожидаясь ответа, я потянула его за руку внутрь "Счастливых". Налила нам по бокалу вина. Он сел за стойку со стороны зала.

— Приедешь к нам в гости?

— Не знаю... дай мне время привыкнуть...

Несколько дней спустя я открывала кафе, и тут внутри у меня все перевернулось: перед "Счастливыми людьми" стоял Оливье. Я не виделась с ним с момента нашего разрыва, после которого, как мне казалось, прошло уже много лет. Трудно было себе представить, что совсем недавно предполагалось, будто в это время мы уже будем жить вместе. Он толкнул дверь, и я заметила у него в руках сумку. Он поставил ее возле подсобки и сел за стойку.

— Можешь угостить меня своим эликсиром счастья? Я в нем очень нуждаюсь.

Через пару минут кофе стоял перед ним, и он прервал молчание.

— Немного тебе понадобилось времени, чтобы решиться, — вздохнул он.

— Это правда... Оливье, прости меня за ту боль, что я тебе причинила...

Он поднял руку, и я замолчала.

— Мы мчались прямиком на глухую стенку... ну... во всяком случае, я.

Он выпил чашку одним глотком, встал и показал на сумку:

— Думаю, мне удалось собрать все твои вещи...

— Спасибо, — прошептала я.

Он сделал несколько шагов к двери и снова обернулся. Я стояла за стойкой словно каменная. Он слабо улыбнулся.

— Прощай, я больше сюда не вернусь, я нашел другой путь к дому, чтобы не проходить мимо.

— Мне очень жаль, прости.

— Хватит тебе извиняться. Я не жалею ни о том, что встретил тебя, ни о том, что мы пережили вместе. Я бы предпочел, чтоб все закончилось по-другому, но ничего не поделаешь... такова жизнь.

Последний взгляд — и он вышел. Оливье исчез из моей жизни. Любила ли я его? Я чувствовала привязанность, нежность, но что до любви... Если бы я снова не встретила Эдварда, возможно, мои чувства к Оливье получили бы развитие. Или я бы просто не пыталась разграничить реальность и свои ощущения. Этого мне никогда не узнать. Но я знаю наверняка, что все мои воспоминания, связанные с ним, стали совсем размытыми, плохо различимыми. Зато яркими вспышками я вижу все появления Эдварда в моей жизни, минуты, проведенные с ним и моей ирландской семьей. Когда я о них думаю, сердце начинает биться быстрее, я наконец-то обретаю настоящий душевный покой и полноту жизни.

Следующий месяц изрядно измотал мне нервы. Потенциальные покупатели сменяли друг друга, но их визиты оканчивались ничем. Ни одного предложения. Я приходила в отчаяние и теряла терпение, а риелторы злились на Феликса, считая его виновным в неудачах. Действительно, помощи от него было мало, хотя он убеждал меня, что намерен работать в "Счастливых людях" и при новом хозяине. Стоило появиться в дверях потенциальному покупателю, как Феликс становился невыносимым, едва снисходил до ответов на вопросы, а то и посылал претендента. И при этом обслуживал клиентов кое-как. Единственный раз он разговорился и включился в обсуждение — когда речь зашла о его любви по-веселиться и подольше поспать. Я не могла поставить его на место, поскольку никогда не вела себя с ним как хозяйка, а всегда воспринимала в качестве компаньона. Как я могла изменить поведение в тот момент, когда все бросала?! Я и так причинила ему достаточно боли. Зато риелторы вплотную познакомились с моим скверным характером, когда предложили вычеркнуть Феликса из договора купли-продажи. Пока что кафе принадлежит мне, и я намерена оставаться его хозяйкой до последней минуты. Не будет "Счастливых людей" без Феликса, только так я могу сохранить хоть какой-то намек на свое присутствие, не совсем порвать со "Счастливыми"; к тому же я хочу защитить Феликса.

И вот наступил день, когда мне сообщили, что се-годня состоится визит последней надежды. За не-сколько минут до прихода потенциального покупателя я отозвала Феликса в сторону.

— Прошу тебя, веди себя прилично... Не пытайся отсрочить неизбежное...

— Я плохой мальчик, знаю...

Я обняла его, он сжал меня изо всех сил. Нако-нец-то прежний Феликс начал возвращаться. Пусть и очень медленно. Звякнул колокольчик, Феликс бросил на дверь мрачный взгляд и отпустил меня:

— Пойду курну.

Он протиснулся мимо риелтора и его клиента, пробормотав что-то вроде "здравствуйте". Битва еще впереди! Я натянула на лицо любезную улыбку и пошла навстречу гостям. Риелтор выразительно округлил глаза, намекая на более чем вероятные проблемы с Феликсом, но я сделала вид, что ничего не заметила, и протянула руку мужчине, стоявшему рядом и оглядывавшемуся по сторонам.

— Здравствуйте, месье, рада приветствовать вас в "Счастливых людях".

У него было железное рукопожатие, и он смотрел на меня не мигая сквозь стекла очков *Clubmaster*. Он был слишком серьезным, слишком безупречным для "Счастливых": явно сшитый на заказ костюм, внешность добропорядочного и хорошо воспитанного джентльмена.

— Фредерик. Очень приятно. Диана? Я не ошибся?

— Нет...

— Не возражаете, если я спокойно осмотрюсь, а потом мы поговорим?

— Чувствуйте себя как дома.

— Пока я только гость, и мне необходимо ваше разрешение.

Он расхаживал по кафе около получаса, не обращая внимания на риелтора, который суетился возле него. Тщательно исследовал каждый уголок, перелистал несколько книг, погладил деревянную обшивку стойки, понаблюдал за улицей через стекло витрины. Он еще не закончил свою экскурсию, когда Феликс соизволил вернуться с перекура. Они переглянулись, и мой лучший друг встал на свое место за стойкой. Фредерик подошел и сел на барную табуретку.

— Я с вами буду работать?

— Похоже на то, — ответил мой лучший друг. — У меня нет настроения участвовать в допросе.

Ну опять!

— Я уже знаю все, что мне нужно, — сообщил ему Фредерик, не расставаясь со своей улыбкой.

Судя по всему, Феликсу не удалось его шокировать. Сделав знак риелтору, Фредерик встал, вышел вместе с ним, и они довольно долго простояли перед витриной, что-то обсуждая.

— Ничего не мог с собой поделать, Диана...

— Могло быть и хуже, ты хоть немного постарался. Не сказал, как это было в прошлый раз, что нюхаешь кокаин со стойки.

— Разве я это говорил?

Фредерик открыл дверь и обратился ко мне:

— Обычно так не делается, но я хотел бы поужинать с вами, поговорить о "Счастливых людях" и получить необходимую мне информацию. Можем сделать это сегодня вечером? Я за вами заеду?

— Э-э-э...

— В восемь вечера.

Он бросил взгляд на Феликса и ушел.

— Что это за тип? — возмутился Феликс. — Твоему ирландцу не понравится, вот уж точно.

И он расхохотался.

— Вполне возможно. Но зато, по крайней мере, ты развеселился.

Я ушла от неприятного разговора с Эдвардом, отправив ему краткую эсэмэску:

Ужинаю с покупателем. Позвоню позже.

И отключила телефон. В 20:01 явился загадочный Фредерик, величественно проигнорировал Феликса и увел меня. Мы шагали молча и на некотором расстоянии друг от друга, пока не дошли до ресторана на площади Марше-Сент-Катрин, где он заказал столик. Несмотря на его, мягко говоря, странное поведение, я сразу почувствовала себя с ним комфортно. Он кратко представился: бывший чиновник высшего ранга в министерстве обороны, с солидными накоплениями в банке и без семьи, которую нужно содержать. Он планировал круто изменить жизнь, не покидая Париж, который был частью его самого. Потом он стал расспрашивать, как появились на свет "Счастливые люди". Меня прорвало, и я вывалила перед ним всю свою жизнь: Колен и Клара, непреодолимое горе, бегство в Ирландию, Эдвард, его характер, его любовь, моя любовь к нему, сын, недавно появившийся у Эдварда, мое решение все бросить и начать вместе с ними с нуля.

— А Феликс? — Он резко прервал мои излияния.

Я углубилась в новое описание этого аспекта моей жизни, и его внимание удвоилось. В заключение я объяснила ему, как сильно ранят Феликса продажа "Счастливых людей" и мой отъезд, но при этом не скрыла от него правду:

— Если вы купите "Счастливых", вначале вам может быть с ним сложно, но прошу вас, проявите терпение, он потрясающий, он часть "Счастливых", их душа в большей мере, чем я.

— Диана, вы — женщина его жизни, — сказал он, глядя мне в глаза.

— О нет, вынуждена вас разочаровать, вы ошибаетесь, Феликс — гей.

— Я знаю... Но именно поэтому, я настаиваю, вы — женщина его жизни, и он эту женщину теряет. У него были вы и мать. Мне ситуация знакома.

Он криво усмехнулся, подтверждая то, о чем я к этой минуте начала догадываться.

— Вы всегда бросаете лучшего друга-гея ради мужчины своей жизни. И мы никогда к этому не готовы.

Он махнул официанту, чтобы попросить счет, и заплатил, а я не смогла выговорить ни слова.

— Я провожу вас, — предложил он.

Я кивнула, и мы направились к "Счастливым людям".

— Обещаю вам заняться им. — Он нарушил молчание. — Он успокоится и однажды вернется к вам.

— Погодите, Фредерик! Вы что сейчас пытаетесь сказать мне?

— Я покупаю ваших "Счастливых людей" и твердо надеюсь, что тоже буду счастлив в них... с Феликсом.

— Минутку! Вы покупаете "Счастливых"?

— Ну я же вам сказал! В ближайшее время вы соединитесь со своим Эдвардом и с его сыном.

— Но как же Феликс?! С ним-то вы что собираетесь сделать?

— Ухаживать...

У меня отвисла челюсть.

— Не сомневаюсь в ваших талантах соблазнителя. Но Феликс не признает самого существования моногамии.

— Это мы еще посмотрим...

По его взгляду я поняла, что ему все удастся.

— Я оформлю документы в агентстве и зайду к вам завтра. Доброй вам ночи, Диана. Передайте привет Эдварду.

Я стала подниматься по лестнице к своей студии, но на полпути остановилась и ущипнула себя за руку. Боль подтвердила реальность всего, что произошло сегодня вечером. Придя домой, я сразу легла. Телефон был у меня под рукой. Вместо ответа Эдвард рявкнул:

— Запрещаю тебе проделывать со мной подобные штучки! Что это за тип, с которым ты провела вечер?

— Поклонник Феликса и новый владелец "Счастливых".

— Что?

— Ты все правильно расслышал... Я скоро, очень скоро приеду... Мне больше не надо беспокоиться о Феликсе...

С этого момента все стремительно завертелось. Поскольку у Феликса была доверенность на "Счастливых людей", я могла не оставаться до окончательного завершения сделки, тем более что мне уже трудно было усидеть на месте. Фредерик предложил подменить меня, чтобы освоиться и привыкнуть к работе, явно с тайной надеждой приручить Феликса. Тот сначала возмущался, но в конце концов смирился, хотя и оставался скептичным. Он пока не подозревал о тайных намерениях своего будущего хозяина. Представляю его реакцию, когда правда выйдет наружу! А пока Фредерик постепенно становился незаменимым в кафе. Я, со своей стороны, ни во что не вмешивалась, предоставив им самостоятельно оценивать друг друга и выстраивать отношения, пока я готовилась к отъезду — настоящему, главному, окончательному. Я упаковала все вещи — транспортная компания доставит их в Малларанни через несколько недель. Закрыла свои банковские счета и заполнила тонны официальных бумаг. Я ежедневно общалась с Эдвардом и Декланом по телефону. Хотя точнее будет сказать, с Декланом! Для не слишком разговорчивого Эдварда телефон был орудием пытки...

Последний день в Париже. Мой рейс завтра, а сегодня я проведу прощальный вечер в "Счастливых людях". Пока же я снова проделала путь, по которому вот уже больше года следовала каждый понедельник. Я вышла из метро. Ноги подгибались. Заглянула в ближайшую цветочную лавку. Ее продавщица знала меня с того самого дня, когда я отсюда сбежала. В последний раз я сама купила охапку белых роз и оформила заказ: по понедельникам она будет относить на их могилу такой же букет. Я дружески поцеловала ее и направилась к кладбищу. Не торопясь, очень медленно, прошла по центральной аллее. Подойдя к ним, стала на колени, поменяла цветы, отложила увядшие розы в сторону. Потом погладила мрамор.

— Ох... любимые мои... вы навсегда останетесь моими любимыми. Все, завтра я уезжаю... Колен, мы об этом уже говорили... Ты знаешь, что я тебя никогда не забуду. Я не заменила тебя Эдвардом... Я просто люблю его, вот и все... А ты, Клара, любимая... у тебя мог бы быть такой брат, как Деклан... Я не его мама, я остаюсь твоей мамой. Моя новая жизнь начнется завтра в далеком краю, которого вы не знаете, но теперь это мой дом. Мне не известно, когда я снова приеду к вам... но вы всегда будете со мной... Если заблудитесь, спросите дорогу у Эбби, она проводит вас на пляж... Я вас люблю... Я вас всегда буду любить.

Я поцеловала могильный камень в последний раз, встала и ушла не оборачиваясь.

После обеда все так закрутилось, что я и не заметила, как наступил вечер. Один клиент вошел, другой вышел... Я вроде и поработать не успела, как вдруг оказалось, что уже почти семь часов: мое существование в качестве хозяйки "Счастливых людей" подошло к концу. Это позволило мне ни о чем не задумываться.

— Блин! Следующему, кто появится на пороге, я захлопну дверь перед самой рожей! — завопил Феликс.

И в этот момент вошел Фредерик.

— Может, не стоит, а? — ухмыльнулся он.

Фредерик подошел ко мне и поцеловал в щеку. Потянулся через стойку, чтобы пожать руку Феликсу.

— Я решил пожелать тебе счастливого пути.

— Спасибо, мне очень приятно.

Мы быстро перешли на "ты". И это правильно, поскольку я подозревала, что он вот-вот станет членом моей своеобразной семьи... Во всяком случае, надеялась на это.

— Давайте выпьем! — предложил Феликс.

Он достал из холодильника шампанское, открыл бутылку и протянул мне, глядя в глаза.

— Тебе это ничего не напоминает?

— Никогда не забуду тот вечер! — В моих глазах стояли слезы.

— Не беспокойся, сегодня мы выберем мягкий вариант, а то, боюсь, Эдварду не понравится, если ты сойдешь с трапа с тремя промилле алкоголя в крови.

Я сделала большой глоток прямо из горлышка и протянула бутылку ему. Феликс мотнул головой в сторону Фредерика, но тот отказался. Феликс подошел к нему:

— Хочешь стать членом семьи? Тогда пей и заткнись!

Они с вызовом глядели друг на друга; на какое-то мгновение я почувствовала себя третьей лишней. Да, их отношения рискуют быть бурными. Феликс вернулся за стойку, Фредерик глотнул шампанского и отдал ему бутылку. В мгновение ока с ней было покончено.

— Оставляю вас наедине. До завтра, — кивнул он Феликсу.

Я проводила его до двери.

— Вручаю их тебе. — Я решила быть краткой.

— Они попали в хорошие руки.

— Не сомневаюсь.

— До скорого, Диана...

Феликс ждал меня за стойкой с новой бутылкой. Я взобралась на соседний табурет и положила голову ему на плечо.

— Мне трудно с тобой говорить, Диана. Слишком больно...

— Ничего, ничего.

— Зато я тебя угощу и запишу на счет моего нового хозяина.

Мы просидели весь вечер рядом, опустошая бутылку за бутылкой, иногда держась за руки и превращая "Счастливых" в огромный аквариум, заполненный клубами дыма, — мы прикуривали одну сигарету от другой. Время от времени Феликс стискивал меня изо всех сил. А потом заговорил, и его просьба перевернула мне душу:

— Не забирай эту рамку с фото, отдай мне.

— Она всегда была твоей. Отнесешь к себе?

— Нет, они останутся здесь. Я уже обсудил это с хозяином и объяснил ему, что без Колена, Клары и тебя "Счастливых людей" не будет...

По прошествии часа и после еще одной бутылки я почувствовала первые признаки усталости.

— Иди спать, — сказал он. — Завтра у тебя большой день. Тебя ждет встреча с твоими мужчинами. Но до этого я должен кое-что сделать.

Он взял табурет, подтащил его к входной двери, взобрался на него и снял колокольчик.

— Ты не можешь уехать без сувенира...

Меня прорвало, и я бросилась в его объятия, заливаясь всеми слезами, которые сдерживала в последние дни. Феликс сжал меня так, что захрустели кости.

— Мне не хватит смелости проводить тебя завтра в аэропорт.

— Но я и не хочу, чтобы ты ехал.

Мы не говорили в полный голос, шептали.

— На когда ты заказала такси?

— На семь утра.

— Оставишь ключи в студии. Закрой "Счастливых" в последний раз.

Он выпрямился, обнял меня за плечи, заглянул в глаза:

— Пока, Диана!

— Феликс...

Он отпустил меня и ушел. Последний взгляд через стекло витрины — и он исчез в темноте... Тыльной стороной ладони я отерла слезы, потом достала из кармана связку ключей. Первый шаг: запереть дверь. Второй шаг: перевернуть грифельную доску. Третий: вывесить в витрине табличку "Смена владельца". Четвертый и последний: выключить всюду свет. Благодаря уличным фонарям в моем кафе было светло как днем. Все для него я выбирала вместе с Коленом, оно было частью меня, даже если я отвернулась от моего кафе на какое-то — слишком долгое — время. Здесь я по-настоящему повзрослела. Когда я вернусь сюда (если вернусь), я это место не узнаю. Наверняка произойдут какие-то перемены, потому что у нового хозяина мощный характер и он захочет многое переделать по-своему. Это нормально, я не имею права возражать. Я прошла вдоль стеллажей, забитых книгами, аккуратно расставленными, готовыми к тому, чтобы их забрали и прочли. Потом я завернула за стойку и погладила ее дерево — чистое, блестящее. Подвинула несколько бокалов, выбившихся из строя, подровняла стопку бухгалтерских книг и поправила рамку с фотографиями. Остановилась возле кофемашины, улыбнулась, вспомнив, как однажды закатила скандал Феликсу, неспособному ее нормально почистить. Захотела налить себе кофе, но не стала — знала, что разогретый мне не понравится. Поэтому я предпочла остаться без последней чашки кофе: пусть мои кофейные воспоминания останутся размытыми — на фоне голосов клиентов, Феликсова смеха и уличного гула. Пора. Я открыла заднюю дверь, чтобы выйти на лестницу. На пороге я зажмурилась и изо всех сил вдохнула запах книг, кофе и дерева. Яркие вспышки и обрывки воспоминаний чередовались в моем мозгу, и я захлопнула дверь, ничего не видя и сосредоточившись на скрипе дверных петель. Они упорно скрипели, вопреки всем моим усилиям. Щелкнул замок, я охнула: все кончено. С этой минуты счастливые люди читают книжки и пьют кофе без меня.

Эпилог

Я в Малларанни уже три с лишним месяца. И с каждым днем все больше чувствую себя дома. Моя жизнь кажется мне простой, естественной, я не терзаю себя разными вопросами, просто живу и ни о чем не сожалею. Я часто думаю о "Счастливых", и, не хочу врать, иногда при мысли о них у меня сжимается сердце. Но это быстро проходит. Тем не менее идея открытия маленькой книжной лавки потихоньку пробивает себе дорогу... Впрочем, я никуда не тороплюсь.

Я говорила по телефону с Феликсом. Он не давал мне вставить ни слова! Мусолил и пережевывал фразы, поступки и жесты Фредерика, который не подпускал его к себе уже много дней. Мой лучший друг влюбился, такое с ним случилось впервые, и он вел себя словно подросток, на которого обрушилась первая любовь.

— Клянусь, мне больше не выдержать... Вчера вечером, я думал, он наконец-то перейдет к действиям... И ни-че-го! Бросил меня на пороге моего дома!

— А почему ты не делаешь первый шаг?

— Э-э-э, не решаюсь...

Я закатила глаза и с грехом пополам подавила безумный смех.

— Издеваешься?! — обиделся он.

— Прости, как-то само вырвалось...

За моей спиной хлопнула входная дверь, я посмотрела через плечо — вымокший с головы до ног Эдвард вернулся с репортажа. Он тяжело плюхнул на пол сумку с аппаратурой и ворча сбросил куртку. Потом заметил меня и подошел. Его лицо оставалось замкнутым. Возле дивана он нагнулся и со вздохом мазнул губами мой висок. Прошептал на ухо: "Феликс?" Я кивнула. Он криво ухмыльнулся.

— Эй! Диана, ты отключилась или что? — заорал Феликс в трубку.

— Извини, только что вернулся Эдвард...

— Ладно... я все понял... завтра перезвоню.

Он, не прощаясь, прервал разговор, а я бросила свой телефон на диван. Эдвард не сдвинулся с места, он так и стоял, нависая надо мной и опираясь ладонями на спинку дивана.

— Скоро я поверю в то, что он меня боится... Стоит ему узнать, что я пришел, и он тут же прерывает разговор.

— Нет... он не хочет нам мешать... И потом, я с ним говорю почти ежедневно, так что...

Эдвард поцелуем заставил меня замолчать.

— Здравствуй, — сказал он, оторвавшись от моих губ.

— Я не слышала утром, как ты ушел... Сегодня был твой день?

— Еще как, погода подстраивалась под все мои замыслы.

— И поэтому у тебя плохое настроение?

— Что, еще больше, чем обычно?

— Нет, — засмеялась я.

Он еще раз поцеловал меня и выпрямился. Я тоже встала. Он надел сухой свитер, потом налил себе кофе.

— Через пять минут я поеду за Декланом, — сообщила я.

— Хочешь, я его заберу?

— Нет, мне потом надо к Джеку, и еще кое-какие покупки сделать.

Он подошел ко мне, погладил по щеке и нахмурился.

— Ты устала?

— Нет... с какой стати?

— Хочется верить. — В его голосе не слышалось убежденности.

Он вытащил из кармана подмокшую пачку сигарет и вышел на террасу. Я надела пальто и присоединилась к нему. Покрепче прижалась. У Эдварда периодически случались приступы страха: его одолевала тревога, как бы я не пожалела о своем решении.

— Не беспокойся… со мной все в порядке, я никогда так хорошо себя не чувствовала.

Я подняла на него глаза, он наблюдал за мной, и его лицо было, как обычно, жестким. Я погладила его по подбородку, провела пальцем по губам, он схватил меня за талию, прижал к себе и стал яростно целовать. Такой у него был способ выразить свою боязнь потерять меня. Я не понимала, почему этот страх его не отпускает. Я ответила на его поцелуй со всей силой своей любви, потом отодвинулась, улыбнулась, вытащила из его пальцев сигарету, несколько раз затянулась и вернула ему.

— До скорой встречи! — пропела я, оставляя его одного.

Он что-то недовольно пробурчал. Я зашла на кухню, вытащила из холодильника пакет, взяла ключи от автомобиля.

Еще через несколько минут я как попало припарковалась перед школой. Как раз вовремя: дети выходили после занятий. В толпе я разглядела растрепанную шевелюру Деклана. Он растолкал приятелей и бросился ко мне. Его преследовал тот же страх, что и отца: как бы я вдруг не исчезла.

— Все в порядке, герой?

— Да!

— Давай полезай в машину!

Джека мы нашли сидящим в кресле-качалке Эбби, с газетой на коленях, взгляд его был устремлен на огонь в камине. Он старел с каждым днем, отсутствие источника его силы становилось все заметнее. Зима и рождественские праздники добавили ему лет десять. О своей тоске он говорил только со мной, знал, что я его пойму. Я любила эти частые встречи наедине. Я приезжала к нему несколько раз в неделю. Ворча, он все же позволял мне навести порядок в доме и приготовить впрок еду. Мне надо было заставить его бороться. Да, мои действия были эгоистичными, я это осознавала, но мне хотелось на время избавить Деклана, Эдварда и Джудит от новых страданий. Мы все нуждались в Джеке. Моим главным союзником в этой борьбе был маленький мальчик, который сейчас носился по гостиной, доставая Джека вопросами, когда они смогут поехать вдвоем на рыбалку.

— В воскресенье, если захочешь, — ответил тот.

— Правда?

— Да! У твоего папы и Дианы есть дела, — сказал он, подмигивая мне.

Я потерлась щекой о его белоснежную бороду и понесла на кухню блюда, приготовленные сегодня утром.

— Тебе что-нибудь нужно? — спросила я, вернувшись. — Мы идем в магазин, и мне еще в аптеку надо зайти, так что скажи.

— Нет, у меня все есть. А вы не задерживайтесь, вечером будет плохая погода.

— Ты прав! Деклан, готов? Пошли.

На рассвете у меня затрепетали ресницы, когда я почувствовала на лице поцелуй. Надо мной склонился

Эдвард. Он с улыбкой вглядывался в мое лицо, а его руки прогуливались по моему телу.

— Чем ты хочешь заняться в выходные? — спросил он хриплым сонным голосом.

— Спать...

— Оставайся в постели, я встаю.

— Нет...

Я вцепилась в него, заставила лечь, прижалась к нему и потерлась носом о его грудь. Он не стал сопротивляться, тоже прижался ко мне, и я вздохнула от удовольствия. Я осыпала поцелуями его тело, вскарабкалась на него, его руки стали более настойчивыми... и тут мы услышали шаги Деклана в коридоре и лай собаки.

— Полежи, не спеши, — проворчал Эдвард. — Я постараюсь договориться с Джеком, чтобы Деклан сегодня переночевал у него.

— Отличная идея...

Он встал, натянул джинсы, валявшиеся на полу, и осторожно выскользнул в коридор, не позволив Деклану проникнуть ко мне в спальню. Я перекатилась на его место и подремала еще часок.

Потом я решила встать и задержалась в ванной дольше, чем обычно. Перед тем как выйти, я посмотрела на себя в зеркало, подавив смех пополам со слезами. Слегка дрожа, спустилась на первый этаж. Деклан лежал на полу и играл со своей железной дорогой. Увидев меня, он вскочил и прыгнул на меня. Я его расцеловала, как каждое утро.

— Диана, я буду сегодня ночевать у Джека!

Эдвард не терял время даром.

— Доволен?

— Да!

Он вернулся к своим играм и больше не обращал на меня внимания. Я налила себе чашку кофе, поставила на кухонную стойку и окинула взглядом комнату. Спокойный, безмятежный Деклан, как и положено мальчишке его возраста, возился со своими поездами. Постман Пэт храпел, лежа на спине с поднятыми вверх лапами, перед горящим камином. А сквозь большое стекло террасы я видела умиротворенного Эдварда с сигаретой в зубах; он вперил задумчивый взор в море. Мое сердце наполнилось счастьем. Я возвратилась издалека. Мы все возвратились издалека. Мы, поломанные, истерзанные люди, сумели создать счастливую семью, и нам было хорошо... Держа в руках чашку, я вышла к тому, ради кого билось мое сердце, с кем я теперь делила всё-всё-всё. Наши глаза встретились, и я послала ему головокружительную улыбку.

— Все в порядке? — спросил он.

— Да, и даже очень...

Как всегда по утрам, он бросил мне свою пачку сигарет. Я окинула его долгим взглядом, подняла крышку и, опустив ресницы, долго вдыхала аромат табака. После чего закрыла и перебросила пачку обратно.

— Ты заболела?

— Вовсе нет...

— Не хочешь курить?

— Еще как хочу, умираю.

— Да что с тобой?

Не переставая улыбаться, я сделала два шага, отделявших меня от него, и бросилась в его объятия:

— Я должна бросить курить, Эдвард...

Слова благодарности

Роксане и Флориану, которые подтолкнули меня к созданию этого продолжения: вы сделали все, чтобы разбудить мое желание его написать.

Эстель, моему редактору, чьи советы, чуткость, тактичная и элегантная манера делать замечания отразились на всем, что я написала.

Гийому: помимо всего прочего, чему здесь не место... ты был вынужден принять мою встречу с Ирландией и пожертвовал собой, чтобы мерзнуть там, пить гиннесс и виски! И сейчас я могу тебе сказать: даже если я отпускаю Диану, чтобы она жила собственной жизнью без меня, мы все равно туда вернемся.

Вам, читательницы и читатели: ваши слова, ваша поддержка и ваши улыбки — мое сокровище и честь для меня.

La Belle Hortense: спасибо за то, что этот литературный бар предоставил нам полную свободу действий, позволив провести великолепную фотосессию. Благодаря этому облик Дианы был запечатлен в том самом месте, которое подсказало мне идею "Счастливых людей".

Диане, очаровательной молодой женщине, порожденной моей фантазией больше четырех лет назад: ты меня заставила сочинять и подарила мне счастье быть автором. Ты всегда будешь занимать особое место в моей душе.